Muehlbach,

Napoleon und der Wiener Congress

4. Band

Muehlbach, Luise

Napoleon und der Wiener Congress

4. Band

Inktank publishing, 2018

www.inktank-publishing.com

ISBN/EAN: 9783750103689

Mundt Klara (Müller)

Napoleon

und

der Wiener Congreß.

Von

L. Mühlbach.

Vierter Band.

Berlin, 1859.

Verlag von Otto Janke.

Siebentes Buch.

Die Schlacht bei Belle-Alliance.

I.

Das Maifeld.

Ganz Paris war heute in Bewegung, und schon beim Beginn des Tages sah man die Bevölkerung schaarenweise durch die Straßen dahin strömen, Alle dem Einen Ziele zu, Alle in eilfertiger, neugieriger Hast dem Marsfelde sich zuwendend, denn auf dem Marsfelde sollte heute ein neues großartiges Fest sich begeben; schon von Lyon aus hatte der Kaiser dem französischen Volk verheißen, daß er, wie in den Tagen des alten Roms ein Maifeld berufen wolle, auf welchem das Volk über die Zukunft Frankreichs entscheiden solle.

Heute am 1. Juni sollte endlich dieses „Maifeld" abgehalten werden, heute sollte das Volk seinen heimgekehrten Kaiser auf dem Märzfelde begrüßen, auf diesem weiten, ungeheuren Platz, den die Föderirten vom Jahr 1790 geschaffen hatten, und auf dem vor

1*

fünf und zwanzig Jahren zur Erinnerung an den ersten Jahrestag der Erstürmung der Bastille das große Föderationsfest stattgefunden hatte.

Auch heute sollten auf diesem Platz die Föderirten erscheinen, die Föderirten, welche auf den Ruf des Kaisers sich aus dem Pariser Volk hervorgehoben hatten, welche bereit waren mit den ihnen verliehenen Waffen das Vaterland und dessen Freiheit und Unabhängigkeit zu vertheidigen. Auch heute sollte auf dem Märzfeld ein glänzendes Fest gefeiert werden.

Was für ein Fest?

Das war die große Frage, welche alle Gemüther beschäftigte, und welche Jeder sich seinen Wünschen, seinen Hoffnungen gemäß beantwortete.

Denn diese vielen Tausende, die da rings um den Platz von der Frühe des Morgens an die Rasenstufen, welche die Republikaner von 1790 zu Sitzen für das Volk aufgeworfen hatten, einnahmen, diese vielen Tausende waren gekommen, um auf dem vom Kaiser berufenen Maifelde des ersten Juni den Schleier sich lüften zu sehen, welcher ihnen die Zukunft Frankreichs umhüllte; sie waren gekommen, nicht im Freudenjubel über vollbrachte Thaten, sondern in neugieriger Ungeduld endlich eine Thatsache zu erfahren, endlich zu wissen, was der Kaiser beabsichtige, warum er das Maifeld berufen, was er dem französischen Volk zu sagen habe.

Und Jeder wie gesagt, beantwortete sich diese Frage nach seinen eigenen Wünschen und Gesinnungen.

Dort drüben, unweit der Militairschule stand auf den Rasenstufen eine Schaar ernster und düsterer Gestalten, gebräunte Gesichter von ergrauetem Haar umwallt, die gerunzelte Stirn gezeichnet von dem Alter und den Erfahrungen, welche über ihren verwitterten Häuptern dahin gezogen.

Das waren die Republikaner, welche vor fünf und zwanzig Jahren als begeisterte Jünglinge das Märzfeld hatten begründen helfen, welche das Kaiserreich in der Stille verwünscht, und den heimkehrenden Kaiser nur deshalb freudig willkommen geheißen hatten, weil sie von ihm erwarteten, daß er jetzt nur ein Werkzeug in ihren Händen sein, daß Er, durch den der Thron der Lilien zum zweiten Male gestürzt worden, jetzt nur da her komme, als der Herold der Republik, welche zwölf Jahr auf dem Märzfelde geschlafen, und die Napoleon jetzt wieder mit seiner Imperatorstimme zur Auferstehung erwecken wolle.

Er wird dies Maifeld nur berufen haben, um dem

Volk zu verkünden, daß er seine Krone niederlegt zu Gunsten der Republik, sagten einige dieser Männer untereinander.

Aber wenn er das thut, werden wir uns wohl hüten, ihn wieder zum ersten Consul zu erwählen, murmelten Andere. Wir haben gesehen, was aus der Republik unter seinen Händen geworden ist.

Wir werden ihn schwören lassen, niemals wieder ein öffentliches Amt bekleiden zu wollen, flüsterten Andere. Gott hat ihn gesandt, um den letzten französischen Thron zu stürzen, und er darf nicht denken, daß er dem freien Frankreich einen neuen Thron auf den Nacken setzen darf. Tod allen Tyrannen und Verräthern!

Aber auch andere Stimmen wurden laut in dieser unermeßlichen Menge, die sich auf den Rasenstufen und auf dem weiten Platz hinter denselben bewegte, und die mit jeder Minute höher anschwoll, zu immer dichterer Masse sich zusammendrängte.

Wißt Ihr, weshalb der Kaiser das Maifeld berufen hat? fragte hier eine ernste männliche Stimme. Er will dem Volk beweisen, daß er kein Usurpator ist, und daß er die Hand nicht mehr ausstreckt nach einer Krone, die ihm nicht mehr gehört.

Es ist wahr, sagte ein Anderer, er ist nicht mehr Kaiser, er hat in Fontainebleau im vorigen Jahr der Krone entsagt und seinen Sohn zum Kaiser ernannt und erklärt.

Ja, rief ein Dritter, Frankreich hat damals seine Abdankung angenommen und den König von Rom als Napoleon den Zweiten anerkannt. Napoleon hat also gar kein Recht mehr, sich unsern Kaiser zu nennen.

Er hat das Recht der Bajonette, sagte ein Vierter, aber er will heute hier auf dem Maifelde diesem Recht freiwillig entsagen, seinen Sohn zum Kaiser von Frankreich ausrufen und das Volk fragen, ob es den Kaiser Napoleon den Zweiten anerkennen will.

Aber sein Sohn ist ja nicht hier, rief ein Anderer. Der kleine König von Rom ist ja noch immer Gefangener in Oesterreich und sein Großvater will ihn nicht heraus geben.

So werden wir so lange, bis wir ihn gezwungen haben, ihn uns herauszugeben, einen Regentschaftsrath haben, sagte ein Anderer. Da sind ja noch alle Mitglieder des damaligen Regentschaftsrathes versammelt. Nur die Regentin von damals fehlt. Aber statt dessen nehmen wir Fouché als Präsidenten des Regentschaftsrathes.

Ja, das ist wahr, riefen hier und dort laute Stimmen aus der Menge hervor. Fouché ist am besten dazu geeignet, Präsident des Regentschaftsrathes zu werden. Er ist ein gar kluger und schlauer Mann und versteht das Steuerruder des Staates mit geschickter Hand durch alle Stürme hindurch zu lenken.

Und dieser Ruf wiederholte sich auf den verschiedensten Punkten in der wogenden Volksmenge; überall sah man einzelne Männer sich mit breiten Schultern und schlauem Lächeln durch das Gedränge Bahn machen, und den schweigenden, staunenden Massen flüsterten sie zu: wenn der Kaiser kommt, so ruft: es lebe Napoleon der Zweite! Es lebe der Regentschaftsrath!

Doch auch andere Zuflüsterungen ertönten hier und da in der Menge, wehten wie leises Windessäuseln über den Häuptern dieser Tausende dahin.

Wenn der Kaiser kommt, sagten sie, so ruft: es lebe unser König Ludwig! Es leben die Bourbonen!

Aber das Volk, welches zu den Stimmen, die ihm den Regentschaftsrath und den Präsidenten Fouché empfehlen, nur geschwiegen, das Volk antwortete auf diese bourbonischen Zuflüsterungen mit einem verächtlichen Lächeln und einem abwehrenden Kopfschütteln, und wie Wogenbrausen rauschte es über den weiten Platz dahin:

wir wollen keine Bourbonen, keinen König Ludwig den Achtzehnten mehr!

So wählt Napoleon zu Eurem Oberhaupt, rauschte eine andere Volkswelle. Wählt Napoleon. Er hat das Maifeld berufen, um feierlich vor Gott und dem Volk die Krone niederzulegen, und dem souverainen Volk anheim zu geben, ob es ihn oder einen Würdigern zu seinem Oberhaupt, zu seinem Kaiser erwählen wolle.

Ja, Napoleon will beweisen, daß er ein Mann der Ehre und Gerechtigkeit ist, riefen Andere, er will seine Krone zurückgeben an das Volk. Möge das Volk sich seinen Herrscher wählen, denn das Volk allein hat das Recht dazu.

Aber auch zu diesen Stimmen schwieg das Volk und schaute nur mit staunenden Blicken hin auf den Platz und die Festesveranstaltungen, welche man auf demselbn gemacht.

In der Mitte des Platzes erhob sich eine hohe Pyramide, auf deren oberster Plattform man den goldfunkelnden, von einem Baldachin bedeckten Thronsessel des Kaisers gewahrte. Diese Plattform, die in gleicher Linie mit den Fenstern der obersten Etage der Militairschule lag und bis zu dieser hin sich erstreckte, hatte ihren Eingang eben aus dieser obersten Etage der Militairschule.

Zu beiden Seiten des hohen Thrones der Plattform stiegen in weiten Linien die Tribünen hernieder, auf welchen die von der Nation gewählten Kammermitglieder, die Minister, die Würdenträger und Beamten des Staats ihre Plätze hatten. Eine kleinere Tribüne nahe dem Thron war bestimmt für die Prinzessinnen und die Damen des kaiserlichen Hofes. Dem Thron gegenüber erhob sich ein hoher Altar, um den die Priester in vollem Ornat sich schaarten, nur noch den Erzbischof von Paris und die andern Bischöfe erwartend, die mit dem Kaiser daher kommen sollten.

Hinter diesem Altar, die halbrunden Bogen bis zu beiden Seiten der Tribünen sich hinziehend, gegenüber der Militairschule, standen funfzigtausend Soldaten in glänzendem Waffenschmucke, mit flatternden Fahnen, mit einem Wald von blitzenden Bajonetten, und einer tausendfachen Schaar der dreifarbigen kaiserlichen Adler.

Eben schlug es vom Invaliden-Dome elf Uhr, und jetzt begannen die Kanonen des Invalidenhauses ihre donnernde Stimme zu erheben, und die Kanonen des Forts Vincennes und des Montmartre gaben ihre schallende Antwort und verkündeten der Stadt Paris und dem Volk, daß der Kaiser jetzt mit seinem Gefolge die Tuilerien verlassen habe und sich dem Märzfelde nähere.

Eine tiefe Stille trat jetzt ein, alles Geräusch verstummte, alle Gespräche wurden abgebrochen, und diese aus mehr als zwanzigtausend Menschen bestehende Menge richtete ihre blitzenden, neugierigen Augen nach der Kriegsschule hin, aus dessen Balconfenstern sich der Kaiserzug nahen sollte.

Jetzt ward es lebendig da droben, jetzt sah man eine buntschillernde Masse daher wogen, und über die Tribünen sich ergießen. Diese Masse, das waren die Mitglieder der Kammern, die Volksvertreter und Wähler. Sie nahmen ihre Plätze ein, und schaueten gleich den Andern empor zu der Estrade.

Wieder bevölkerte sich diese jetzt, und in ihren glänzenden Uniformen mit blitzenden Ordenssternen geschmückt kamen die Generäle und Marschälle des Kaiserreichs daher, ihre Plätze einnehmend auf den Stufen der Pyramide auf der Vorderseite des Thrones. Nun folgten, unter Vorantritt ihrer Hofbeamten und Damen die Prinzessinnen des Kaiserhauses. Nur zwei von ihnen waren indeß in Paris anwesend, die Andern irrten geächtet und verfolgt in der Fremde umher und ihnen hatte es nicht gelingen wollen die Grenzen Frankreichs zu erreichen. Nur Lätitia, die Madame Mutter, war da, und Hortense, die Königin von Holland.

Sie nahmen auf der kleinen Tribüne hinter dem Thronsessel Platz; sie waren in glänzender Toilette, das Haupt geschmückt mit diamantenfunkelnden Juwelen, aber ihre Angesichter waren trübe und mit bangen, angstvollen Blicken schauten sie hin auf dieses glänzende Gewoge des Volks und der Soldaten. Kein Lächeln umspielte wie sonst die Lippen der Königin Hortense, und ihre großen blauen Augen hatten Mühe die Thränen zurückzuhalten, die wider ihren Willen aus ihrem Herzen in dieselben empor stiegen.

Kein Strahl des Glückes leuchtete aus dem edlen Antlitz der Madame Lätitia, fest aufeinander gepreßt waren ihre Lippen, und ihre düstern, spähenden Blicke schweiften weit über die Menge nach dem fernen Horizont hin, als lauschten sie auf den Donner des heranziehenden Gewitters, das diesen neu aufgerichteten Thron ihres Sohnes in Staub und Asche verwandeln solle.

Von der Estrade nieder ringelte sich immer weiter die goldglitzernde, sternfunkelnde Schlange des Kaiserzuges hernieder. Jetzt war die hohe Geistlichkeit gekommen und hatte den unter dem goldgestickten Baldachin von seinen Priestern und den Weihkessel schwenkenden Chorknaben geleiteten Erzbischof zu dem Altar geführt.

Nun kamen die Hofbeamten des Kaisers, dann die kaiserlichen Pagen, und jetzt erschien eine in Purpursammet und Gold gekleidete Gestalt auf der Estrade, jetzt blitzte da oben hoch über den Häuptern des Volks eine goldene Krone, ein goldener Scepter.

Diese wunderbare Gestalt trat vorwärts, sie schritt vor bis zu dem Thronsessel, drei andere Gestalten in weißen goldgestickten Gewändern folgten ihr.

Die Kanonen donnerten, die Glocken von allen Thürmen jauchzten mit ihren ehernen Stimmen, aber das Volk — das Volk blieb stumm. Es schaute staunend empor zu dem Thron, es fragte verwundert unter einander: ist das der Kaiser? Ist dieser Mann in dem Theaterputz, dieser Mann in dem mit goldenen Bienen gestickten Mantel von Purpursammet ist das Napoleon? Das der Feldherr, der uns erretten soll von den Feinden, die von allen Seiten gegen Frankreich heranziehen? Was soll's mit diesem Kaisermantel und der goldenen Lorbeerkrone? Warum zeigt er sich uns nicht in seiner Uniform, mit dem Degen in der Hand, dem kleinen dreieckigen Hut über der Stirn?

Und weil man also fragte, und sich verwunderte, und weil man staunte und neugierig aufschaute zu der geputzten goldflimmernden Gestalt, blieb jeder stumm vor Verwunderung, Staunen und Neugierde. Niemand dachte daran den Kaiser zu begrüßen, und doch erkannte man ihn jetzt, doch sah man sein bleiches Antlitz von eherner Majestät, und seine großen, unergründlichen Augen, die nichts zu schauen und den Blick nach Innen gewandt zu haben schienen auf die geheimnißvollen Gedanken seiner eigenen Brust.

Stille, ungeheure beängstigende Stille ringsum auf dem weiten Platz. Der Kaiser in seinem glänzenden Mantel steht vor seinem Thron die erhobene Rechte gelehnt an die goldene, mit dem Kaiseradler gekrönte Standarte. Ihm zur Seite seine drei Brüder Jerome, Joseph und Lucian, alle drei in Tuniken und Mänteln von weißem Sammet, mit goldenen Bienen gestickt.

Jetzt erhebt der Erzbischof vor dem Hochaltar da drüben seine Stimme, jetzt schmettern die Posaunen und Pauken und das Hochamt beginnt. Nun, bei der Erhebung der heiligen Monstranz, kommt zuerst Leben und Bewegung in die athemlose, staunende Menge, und alle diese Bürger, Soldaten, Officiere, Magistratspersonen, Generäle, Marschälle und Fürsten, Alles beugt seine Kniee nieder in den Staub und erfleht in leisem inbrünstigem Gebet den Segen des Himmels für Frankreich. Selbst der Kaiser, sonst so gleichgültig und unbeweglich bei solchen Ceremonien, selbst Er scheint bewegt, und tiefer wie sonst beugt er sein Haupt vor dem Wesen da droben, dem Einzigen, das größer ist als Er!

Jetzt wieder, nachdem das Hochamt beendet, jetzt donnerten die Kanonen, begannen die Glocken ihr weithin schallendes Geläut, und dem Throne nahete sich jetzt eine Deputation von fünfhundert Wählern aus allen Departements, welche kamen im Namen Frankreichs den Kaiser zu begrüßen, und das Ergebniß der Wahlen und die Abstimmung über die constitutionelle Zusatzacte zu geben, welche der Kaiser der von Ludwig dem Achtzehnten gegebenen Charte hinzugefügt hatte.

Diese Deputation der Fünfhundert erklärte im Namen Frankreichs die Zusatzacte, welche der Nation alle die Freiheiten gegeben, die ihr noch fehlten, für angenommen, denn mehr als anderthalb Millionen Stimmen hatten für dieselbe entschieden und nur viertausend gegen dieselbe.

Frankreich, dieses von mehr denn acht und zwanzig Millionen Menschen bewohnte Frankreich hatte also mit noch nicht zwei Millionen Stimmen gesprochen, — sechs und zwanzig Millionen hatten geschwiegen!

Aber diese Stimmen, welche gesprochen, sie hatten

doch jetzt über das Schicksal Frankreichs entschieden, sie hatten gesagt, daß Frankreich die Zusatzacte annähme, welche ihm der Kaiser geboten, daß es Napoleon danke für diesen neuen Beweis seiner Liebe und Großmuth.

Jetzt erhob sich Napoleon von seinem Thron, und sich den Wählern zuwendend grüßte er sie mit einem leisen Neigen des Hauptes und einem flammenden Blick, der wie ein Blitz durch die Reihen der Männer dahin fuhr.

Athemlos lauschend hatte Jeder sein Haupt vorwärts geneigt, mehr denn zwanzigtausend Menschen schauten empor zu dem Kaiser, horchten in gespannter Aufmerksamkeit auf diese volle, gewaltige Stimme, die jetzt machtvoll wie das Brausen des Sturmwindes über ihren Häuptern dahin rollte, auf diese Stimme, deren metallnen Orgelklang man fast ein Jahr lang nicht gehört hatte, von der man in zweifelndem Bangen nicht wußte, ob man sie heute zum letzten Male hören würde.

„Ihr Herren Wähler, der Collegien, der Departements und der Arrondissements," sprach der Kaiser, „Ihr Herren Deputirte der Armeen zu Lande und zu Wasser, ich grüße Euch auf dem Maifelde."

„Kaiser, Consul, Soldat, Alles was ich bin, bin

ich durch das Volk. Im Glück, im Mißgeschick, auf dem Schlachtfeld, im Rath, auf dem Thron, im Exil, immer ist Frankreich der einzige und ausschließliche Gegenstand meiner Gedanken und meiner Thaten gewesen."

„Gleich jenem König von Athen habe ich mich für mein Volk geopfert in der Hoffnung, dadurch mein gegebenes Versprechen, Frankreich seine natürliche Unantastbarkeit, seine Ehren und seine Rechte zu erhalten, sich verwirklichen zu sehen."

„Der tiefe Unmuth, diese geheiligten, durch fünf und zwanzig Jahre der Siege erworbenen Rechte verkannt und auf immer verloren zu sehen, der Schrei der entweiheten Ehre Frankreichs, die Wünsche der Nation haben mich zurückgeführt auf diesen Thron, der mir theuer ist, weil er das Palladium ist der Unabhängigkeit, der Ehre und der Rechte des Volkes."

„Franzosen, indem ich inmitten des allgemeinen Jauchzens die verschiedenen Provinzen des Reichs durchschritt, um in meine Hauptstadt zu gelangen, habe ich wohl auf einen langen Frieden hoffen dürfen, die Nationen sind unter einander verbunden durch die Tractate, welche ihre Regierungen, wer sie auch sein mögen, geschlossen haben."

„Meine Gedanken wandten sich also ausschließlich

den Mitteln zu, welche unsere Freiheit durch eine dem Willen und den Interessen des Volkes gemäße Constitution begründen sollten. Ich habe das Maifeld berufen."

„Ich mußte dennoch gar bald erfahren, daß die Fürsten, welche alle Principien verkennen, die Meinung und die theuersten Interessen so vieler Völker mit Füßen treten, uns den Krieg bringen wollen. Sie beabsichtigen ein Königreich der Niederlande zu schaffen, diesem alle unsere festen Plätze des Nordens als Grenze zu geben und die Differenzen, die sie noch trennen, dadurch zu versöhnen, daß sie sich Lothringen und den Elsaß theilen."

„Wir haben uns auf den Krieg vorbereiten müssen."

„Indeß, bevor ich persönlich den Wechselfällen der Kämpfe entgegeneile, hat es meine erste Sorge sein müssen, vor allen Dingen und ohne Zögern mit der Nation mich zu berathen. Das Volk hat die Acte angenommen, die ich ihm dargeboten."

„Franzosen, wenn wir diese ungerechten Angreifer zurückgedrängt und Europa zur Erkenntniß gebracht haben über das, was es den Rechten und der Unabhängigkeit von acht und zwanzig Millionen Franzosen schuldig ist, wird ein feierliches Gesetz, das in den von dem constitutionellen Acte vorgeschriebenen Formen gemacht ist, die verschiedenen, jetzt noch verwirrten Dispositionen unserer Constitution regeln."

„Franzosen, Ihr werdet jetzt in Eure Departements zurückkehren! Sagt den Bürgern, daß die Umstände groß sind! Daß mit Einigkeit, Thatkraft und Vorsicht wir indeß siegreich aus diesem Kampf eines großen Volkes gegen seine Bedrücker hervorgehen werden; daß die kommenden Geschlechter unser Benehmen strenge richten werden; daß eine Nation Alles verloren, wenn sie ihre Unabhängigkeit verloren hat."

„Sagt ihnen, daß die fremden Könige, die ich entweder auf ihre Throne erhoben habe, oder die mir doch die Erhaltung ihrer Krone danken, die Alle in den Tagen meines Glückes meine Allianz und die Protection des französischen Volkes erfleht haben, daß Alle diese heute ihre Schläge gegen meine Person richten."

„Wenn ich nicht sähe, daß es das Vaterland ist, welches sie bedrohen, so würde ich bereitwillig diese meine Existenz, gegen welche sie sich so empört zeigen, zu ihrer Verfügung stellen."

„Aber sagt auch den Bürgern, daß so lange die Franzosen mir die Gefühle ihrer Liebe erhalten werden,

2*

von der sie mir so viele Beweise gegeben, diese Wuth unserer Feinde ohnmächtig sein wird."

„Franzosen, mein Wille ist der des Volks; meine Rechte sind die seinen; meine Ehre, mein Ruhm, mein Glück können keine andern sein als die Ehre, der Ruhm und das Glück Frankreichs."*)

Als Napoleon seine Rede beendet, herrschte wieder tiefes feierliches Schweigen, — seine Stimme, seine energische und großartige Ansprache schien kein Echo gefunden zu haben in den Herzen seiner Hörer. Aller Blicke waren dem Kaiser zugewandt, aber die Herzen Aller schienen wie ihre Lippen zu schweigen.

Eine Wolke flog über des Kaisers Stirn hin und sein ehernes Antlitz belebte sich zu einem schmerzlich düstern Ausdruck. Er schritt rasch die Stufen hinunter zu dem Altar hin, und die Hand auf das von dem Cardinal-Erzbischof ihm dargereichte Evangelium legend, beschwor er mit lauter Stimme, die Verfassung des Reichs heilig zu halten.

Dann, nachdem Herolde im Namen des französischen Volks die Annahme der Verfassung proclamirt

*) Wortgetreue Uebersetzung dieser letzten Rede Napoleons an das französische Volk. Siehe den französischen Text: Fleury III. S. 102.

hatten, dann trat der Kaiser von dem Altar zurück, und auf der untersten Stufe der zu dem Throne hinaufführenden Pyramide stehen bleibend, warf er mit einer raschen Bewegung den glänzenden Kaisermantel von seinen Schultern.

Nun stand er wieder da vor seinem Volk, vor seinen Kriegern als der Feldherr, als der Soldat, nun war er wieder Napoleon, der angebetete Kaiser seines Heeres.

Die Soldaten, die geliebte Uniform gewahrend, brachen in lauten weitschallenden Jubel aus, und das Volk, hingerissen von dieser Begeisterung seiner kriegerischen Brüder und Söhne, stimmte ein in diesen Jubel. Wie ein Donner, immer sich wieder erneuernd, immer neu anschwellend, hallte es über das weite Märzfeld dahin: vive l'Empereur! Und die Posaunen und Pauken schmetterten ihre Jubeltöne dazwischen, die Glocken läuteten, die Kanonen krachten wieder, und unter diesem Geschrei, diesem Rufen und Klingen zogen die Regimenter an dem Kaiser vorüber, um aus seinen Händen die von dem Cardinal geweiheten Adler und Fahnen zu empfangen. Und bei jeder Fahne, welche der Kaiser den Officieren darreichte, erneuerte sich der begeisterte Zuruf der Soldaten, und ward jedes Mal von dem Beifallsjauchzen des Volkes wiederholt.

Die Fahnen waren ausgetheilt, der Kaiser ließ sich den Mantel wieder über die Schultern hängen, und schritt langsam die Stufen der Estrade wieder hinauf.

Die Ceremonie war beendet, das Jubelgeschrei war verstummt, nur die Glocken und die Kanonen hallten noch immer. Die Menge wogte in lebhafteren, wilderen Strömungen auf und ab, und dachte nur daran, so rasch als möglich die Stätte der Feierlichkeit zu verlassen.

Droben vor seinem Thronsessel stand der Kaiser. Sein Antlitz war bleich, ruhig, unbewegt wie immer; seine langen, flammenden Blicke warf er hinunter auf die Volksmenge, dann hob er das Auge empor, und ließ es langsam an dem Horizont dahingleiten mit einem wunderbaren, innigen, schmerzlichen Ausdruck.

Nun wandte er sich um, und schritt über die Estrade dahin wieder in die Militairschule hinein.

Die Ceremonie war zu Ende, — zum letzten Mal hatte der Kaiser sein Land und sein Reich überschaut!

II.

Die Kammern.

Die Kammern, welche der Kaiser zwei Tage nach dem Maifelde eröffnet hatte, die Kammern hielten heute ihre erste Sitzung, und zwei Dinge waren es, mit denen sie sich zu beschäftigen hatten. Sie hatten sich einen Präsidenten zu wählen, und dann feierlich den Eid der Treue für den Kaiser und die Verfassung abzulegen.

Der Kaiser, die Nachrichten über diese erste Sitzung der Kammern erwartend, ging mit lebhafter Ungeduld in seinem Cabinet auf und ab. Niemand war bei ihm als Benjamin Constant, der große Genfer Rechtsgelehrte, dem der Kaiser bei seiner Heimkehr den ehrenvollen Auftrag gegeben, die Zusatzacte zu der constitutionellen Charte zu entwerfen, welche er dem französischen Volke als einen Beweis seiner veränderten liberalen Gesinnung verleihen wollte. Napoleon hatte Constant heute zu sich beschieden, um von ihm über die Stimmung der Deputirten und der Stadt Paris Nachrichten zu erhalten.

Diese Nachrichten schienen indeß das Herz des Kaisers wenig erfreut zu haben, denn sein Antlitz war düster, und seine Augen blitzten in finsterem Zorn.

Sie glauben also nicht, daß die Kammern meinen Bruder Lucian zu ihrem Präsidenten wählen werden? fragte der Kaiser nach einer Pause.

Ich fürchte, Sire, daß sie es nicht thun werden, sagte Benjamin Constant achselzuckend.

Der Kaiser stampfte in heftigem Zorn mit dem Fuße auf. Und warum nicht? rief er. Warum wollen sie, da ich ihnen meinen Wunsch habe zu erkennen geben lassen, warum wollen sie ihn nicht wählen? Was haben sie Lucian vorzuwerfen? Ist er nicht ein edler unabhängiger Mann? Ist er nicht der Einzige von meinen Brüdern, der in den Tagen des Glücks die Kronen, die ich ihm darbot, verschmähete und die Größe verachtete, weil er sie nicht annehmen wollte aus den Händen seines Bruders, den er in seinem liberalen Eigensinn einen Tyrannen nannte. Hat man sich nicht daran erinnert, daß Lucian, so lange ich glücklich war, stets in Opposition mit mir gewesen, und erst jetzt, da er mich bedroht und in Gefahr sieht, zu mir zurück gekommen ist?

Sire, man hat sich noch mehr daran erinnert, daß Prinz Lucian Ew. Majestät damals bei dem Staatsstreich vom achtzehnten Brumaire hülfreiche Hand geleistet.

Das heißt, rief Napoleon ungestüm, diese Herren sind noch immer verkappte Republikaner, und sie möchten mich bei Seite schieben, um ihre utopischen Träume zu verwirklichen, die Republik wieder herzustellen und die Guillotine für mich und die Aristokraten wieder aufzurichten.

Nein, Sire, ich glaube nicht, daß sie so weit gehen möchten, aber — da Ew. Majestät mir befohlen, die Wahrheit zu sagen, ich glaube, daß sie Ihren Gesinnungen mißtrauen, und nicht an die aufrichtigen constitutionellen Absichten Ew. Majestät glauben.

Ja, sagte Napoleon achselzuckend, darin haben sie vollkommen Recht. Es ist nicht aus innerer Neigung und Ueberzeugung geschehen, daß ich mich den constitutionellen Ideen zugewandt habe. Ich will Ihnen die Wahrheit sagen, ich habe meine Ueberzeugungen noch nicht geändert, und ich glaube nicht an die liberalen

Ideen. Aber ich habe überlegt, welches die Wünsche Frankreichs sind, und was ich der Nation als Zeichen meiner Liebe opfern müßte. Die Nation hat sich zwölf Jahre von allen politischen Bewegungen ausgeruht, und seit einem Jahr ruht sie sich auch vom Krieg aus. Diese doppelte Ruhe hat ihr das Bedürfniß der Bewegung gegeben. Sie will oder glaubt eine Tribüne und Versammlungen haben zu wollen: sie hat sie nicht immer gewollt. Sie hat sich mir zu Füßen geworfen, als ich zur Herrschaft gelangte. Sie müssen das wissen, Sie, der Sie damals versuchten Opposition zu machen. Aber wo war Ihre Unterstützung, Ihre Stärke? Nirgends! Ich habe weniger Autorität beansprucht, als man mich aufforderte zu beanspruchen. Aber heute ist Alles verändert: eine schwache, den nationalen Interessen abgewandte Regierung hat diesen Interessen die Gewohnheit gegeben, sich immer im Vertheidigungszustande zu halten und die Autorität zu chicaniren. Der Geschmack an Constitutionen, Reden, Debatten scheint wieder zu erwachen. Aber, täuschen Sie sich nicht darüber, nur die Minorität ist so gesonnen. Das Volk, oder wenn Sie lieber wollen, die Menge, will nur mich. Haben Sie sie nicht gesehen, diese Menge, wie sie sich bei meiner Heimkehr überall mir entgegendrängte, von der Höhe der Gebirge sich zu mir herniederstürzte, mich rufend, mich suchend, mich grüßend? Bei meinem ganzen Zuge von Cannes hierher habe ich nicht erobert, sondern nur administrirt. Ich bin nicht blos, wie man mir gesagt hat, der Kaiser der Soldaten, ich bin auch der Kaiser der Bauern, der Plebejer Frankreichs. Trotz der Vergangenheit sehen Sie das Volk zu mir zurückkehren, denn es ist Sympathie zwischen uns.*) Wollen Sie das bestreiten?

Nein, Sire, wenn das Volk nur aus Soldaten, Bauern und Plebejern bestände, so würden Sie recht haben zu sagen, daß das ganze Volk für Sie ist, denn diese Alle bewundern und lieben den Kaiser, den Feldherrn, der ihnen und dem Vaterland so viel Ruhm und Ehre gebracht hat. Aber es waren noch andere Elemente auf dem Maifelde vertreten.

Ja, es ist wahr, sagte der Kaiser düster, es waren noch andere Elemente vertreten, und diese waren mir feindlich, und diese unterdrückten den Schrei der Liebe, mit welchem das Volk, das wirkliche, treue Volk mich

---

*) Diese ganze Rede enthält nur Napoleons eigene Worte. Siehe: Lettres sur les cent-jours, par Monsieur Benjamin Constant.

sonst begrüßt haben würde. Es waren da die alten Republikaner von 89, die Liberalen, die immer gegen mich gekämpft, und die Bourbonisten —

Sire, Sie vergessen, daß da auch die Orleanisten waren, und diejenigen, welche Fouché gesandt, um zu opponiren.

Ah, Fouché, sagte Napoleon achselzuckend, er ist für mich unschädlich. Er wird, sobald sich meine Macht consolidirt hat, der gehorsamste und nützlichste Diener sein, und wenn sie zusammenstürzt, was liegt dann daran, ob er geschickt genug ist, zu rechter Zeit zu entlaufen, um nicht von den Trümmern erschlagen zu werden. Sie sehen, ich habe nicht mehr den stürmischen Sinn der früheren Tage, ich verzeihe, und suche zu vergessen. Ich will Ihnen dadurch beweisen, daß ich nicht so schlimm bin, wie Sie, mein Herr, vor meiner Ankunft hier in den Journalen verkündigt hatten.

Oh Sire, sagte Constant verwirrt, ich hatte, — ich glaubte —

Sie glaubten, ich sei ein Tyrann, ein Blutmensch, schlimmer, als Attila und Dschingischan, sagte Napoleon mit einem leisen Lächeln. Nicht wahr, das waren Ihre Ausdrücke? Sie sagten, daß die Restauration große

Verdienste habe um die öffentliche Freiheit, und Sie erklärten feierlich vor ganz Frankreich, daß Sie niemals etwas mit dem Usurpator wollten zu thun haben.*) Gerade deshalb, mein Herr, habe ich Sie zu mir rufen lassen, gerade deshalb übertrug ich Ihnen die Arbeit, mir die Zusatzacte zu entwerfen. Denn ich sagte mir, daß Sie, der Sie mich als Tyrannen haßten, und Mir nicht dienen wollten, um so besser geeignet sein müßten, der Freiheit und der Constitution zu dienen, und eine Vermittelung zwischen dem Tyrannen und der Freiheit zu Stande zu bringen. Gebe Gott, daß es Ihnen gelungen ist, und daß die Zusatzacte mir die Zustimmung der Kammern gewonnen hat. Ich habe die Liberalen durch Ihren Mund zu mir sprechen lassen; ich habe Ihre Ansichten angenommen. Ich bin der Mann des Volks. Wenn also, wie Sie sagen, das Volk wirklich die Freiheit will, bin ich sie ihm schuldig; ich habe seine Souverainetät anerkannt, ich muß daher wohl seinem Willen, selbst seinen Capricen mein Ohr leihen. Auch hasse ich die Freiheit nicht; ich habe sie beseitigt, als sie sich meinem Weg entgegenstellte, aber ich ver-

*) Siehe: Eduard Arnd. Geschichte der letzten vierzig Jahre. I. 115.

stehe sie, und ich bin in ihren Gedanken aufgewachsen.*) Mögen die Kammern das jetzt anerkennen, und mögen sie mir einen Beweis geben, daß sie mir vertrauen, denn nur durch festes Zusammenwirken können wir Frankreich vor dem Unheil bewahren. Denn verhehlen wir uns nicht, Frankreich ist in Gefahr! Ich habe noch einmal versucht, friedliche Unterhandlungen anzuknüpfen, und den fremden Mächten Versicherungen meiner Friedfertigkeit zu geben. Wenn sie diese wiederum zurückweisen, dann bleibt uns nur der Krieg, dann muß sich ganz Frankreich mit mir erheben, mit mir Ein Mann, Ein Herz, Ein Gedanke und Ein Wille sein, denn nur dann können wir Frankreich erretten und vor dem Untergang bewahren! Ach, rief der Kaiser, als eben leise an die Thür des Cabinets geklopft ward, da kommt Lucian!

Er schritt hastig nach der Thür hin und stieß sie auf. Der Kaiser hatte sich nicht getäuscht, es war wirklich sein Bruder Lucian, welcher jetzt in das Cabinet eintrat. Ein einziger schneller Blick auf das bleiche erregte Antlitz seines Bruders sagte Napoleon, daß er ihm keine guten Nachrichten zu bringen habe.

---

*) Napoleons eigene Worte. Siehe: Benj. Constant: Lettres etc.

Mit einer schnellen Bewegung, ohne Gruß, ohne Frage, wandte er sich hastig um und ging auf und ab. Seine Blicke, die wie düstere Flammen durch das Zimmer blitzten, trafen jetzt die Gestalt Benjamin Constant's, der in ziemlicher Angst und Verlegenheit, nicht wissend, ob er bleiben solle, oder verabschiedet sei, sich der Thür genähert hatte.

Der Kaiser deutete mit einem raschen Wink seines Hauptes nach der Thür hin, und sagte kurz: Gehen Sie!

Dann wandte er sich wieder um, stellte sich an das Fenster und blieb dort, den Rücken dem Zimmer zugekehrt, stehen, bis das leise Zufallen der Thür ihm sagte, daß Constant hinausgegangen, daß er keinen verrätherischen Zeugen seiner Aufregung, seines Zorns mehr zu vermeiden habe.

Nun wandte er sich wieder dem Zimmer zu und schritt hastig zu Lucian hin, der in der Mitte des Zimmers stehend, mit ruhiger Fassung die Frage seines Bruders erwartet hatte.

Lucian, sagte er, jetzt sprich! Ich sehe an Deinem Angesicht, daß nicht Du der Präsident der Kammern geworden bist? Sage also, wen haben sie gewählt?

Sie haben Lanjuinais zu ihrem Präsidenten gewählt, sagte Lucian mit seiner sanften ruhigen Stimme.

Lanjuinais, rief Napoleon auffahrend, Lanjuinais, den Republikaner, den Girondisten, den Vertheidiger Ludwigs des Sechszehnten, meinen beständigen Feind und Widersacher! Ihn, ihn haben sie gewählt! Das heißt also, sie wollen mir öffentlich ohne Rückhalt Feindschaft anbieten. Sie wollen mir sagen, daß, wie Lanjuinais es öffentlich vor seinen Wählern gesagt hat, Frankreich nur zwischen der Republik und den Bourbonen wählen kann. Sie haben Lanjuinais gewählt.

Ja, sagte Lucian düster, sie haben ihn mit glänzender Majorität gewählt.

Aber wer hatte nach ihm die meisten Stimmen? fragte Napoleon rasch. Du, nicht wahr, Du?

Nein, mein Bruder, nach Lanjuinais hatte Lafayette die meisten Stimmen.

Auch ein Republikaner, rief der Kaiser, ein Mensch, der aus Republikanismus und Bourbonismus zusammengefügt ist. Die Feindschaft ist also rücksichtslos ausgesprochen! Diese Leute, welche sich die Deputirten des Volkes nennen, erklären sich gegen mich. Sie haben nicht genug an dem Krieg von Außen. Sie wollen auch den Krieg im Innern. Nun wohl, sie sollen ihn haben. Wenn ich erst den Krieg da außen beseitigt habe, so werde ich mit diesen republikanischen und constitutionellen Parteien, die meine Macht und mein Ansehen unterwühlen wollen, Abrechnung halten. Bis dahin Geduld, Geduld. Was ist weiter in der heutigen Kammersitzung geschehen? Haben die Deputirten Mir, dem Kaiser und der Verfassung den Eid geleistet?

Ja, sie haben den Eid geleistet.

Ohne Rückhalt und Zögern? fragte Napoleon, seinen Bruder mit scharfem Auge fixirend. Sprich, Lucian, es ist jetzt nicht die Zeit, mich schonen, mir etwas verbergen zu wollen. Ich muß Alles wissen, und ich habe auch gelernt, Alles anzuhören. Ich frage Dich also noch einmal, haben die Kammern ohne Vorbehalt und ohne Zögern Mir und der Verfassung den Eid geleistet?

Nein, sagte Lucian ernst. Es ist lange über diesen Eid debattirt worden. Einer der Deputirten machte den Antrag, daß man nur der Verfassung, nicht aber dem Kaiser Treue und Gehorsam schwören wolle, weil man nicht wissen könne, wie lange der Kaiser noch das Oberhaupt Frankreichs sein werde.

Aber man verwarf diesen Antrag wenigstens einstimmig, nicht wahr? Man ließ ihn nicht zur Abstimmung kommen?

Doch, Sire, man ließ ihn zur Abstimmung kommen, — dann freilich ward er verworfen.

Mit großer Majorität?

Nein, mit nur einer Majorität von zehn Stimmen!

Ach, und wenn diese zehn Stimmen nicht gewesen wären, so hätten die Deputirten der Nation vor ganz Frankreich, vor ganz Europa mir die Schmach angethan, mir, der sie berufen, mir, der ihnen eben erst die freisinnigsten Institutionen gegeben, mir, ihrem Kaiser, den Eid der Treue zu verweigern. Du siehst, mein Bruder, es läßt sich mit dem Liberalismus nicht regieren, es ist eine elende Comödie, dieser Constitutionalismus, man kann nur eine Republik oder den Absolutismus haben. Jetzt, wo Du zu mir zurückgekehrt bist, jetzt, wo Du siehst, welche Hemmnisse und Zögerungen diese Constitution bewirkt, in welche Abhängigkeit sie den Herrscher von seinen Unterthanen bringt, welches feindliche Element sie zwischen dem Herrscher und dem Volk aufbaut, jetzt wirst Du begreifen, daß ich nicht versuchen mochte, mit solchen Elementen ein großes Weltreich zu begründen, daß ich den Liberalismus bei Seite schob, um Herr in meinem Reich zu bleiben.

Und es ist dennoch zusammengestürzt, mein Bruder, sagte Lucian traurig. Sie hatten den Liberalismus zertreten, aber die Bajonette und der Absolutismus haben Ihren Thron nicht aufrecht zu erhalten vermocht.

Darum will ich es jetzt mit dem Liberalismus versuchen, rief Napoleon. Frankreich will die Constitution, ich nehme sie also an, — ich sage nicht für immer, aber für jetzt. Wenn es mir gelingt, mich mit den Mächten in Frieden zu verständigen, dann freilich —

Die Thür des Vorsaals ward nach leisem Klopfen geöffnet und Caulaincourt, der Herzog von Vicenza, trat ein.

Nun, Herr Minister des Auswärtigen, rief der Kaiser ihm entgegen, was bringen Sie mir?

Sire, der Courier, welchen ich mit einem Handschreiben Ew. Majestät an den Kaiser von Rußland nach Deutschland absandte, ist soeben wieder hier eingetroffen, sagte Caulaincourt.

Und er hat den Kaiser Alexander getroffen?

Nein, Sire. Man hat den Courier an der Grenze Deutschlands zurückgewiesen.

Hat er nicht gesagt, daß er Depeschen für den Kaiser von Rußland habe? Hat er nicht verlangt, daß man ihn, wenn auch unter Bedeckung, zu dem Kaiser reisen lasse?

Er hat es gefordert, aber man hat es ihm verwei-

3 *

gert, indem man ihm bedeutete, daß der Kaiser Alexander von Rußland erklärt habe, er wolle durchaus keine Unterhandlungen mit Ew. Majestät anknüpfen, keine Briefe von Ihnen empfangen.

Zurückgewiesen! sagte Napoleon leise vor sich hin. Nun, immerhin! Vielleicht gelingt es dem Courier, den ich an meinen Schwiegervater, den Kaiser von Oesterreich, abgesandt habe, die Grenze zu überschreiten, und dem Kaiser meine Friedens-Vorschläge zu bringen.

Sire, auch dieser Courier ist heute wieder zurückgekehrt, sagte Caulaincourt. Er ist auf der Grenze einer Abtheilung des österreichischen Heeres begegnet, und hat sich zu dem commandirenden General führen lassen, um von ihm zu erfahren, wo der Kaiser sei. Aber der General hat ihm eine vom Fürsten Metternich eigenhändig ausgefertigte Ordre vorgezeigt, welche den strengen Befehl enthält, keinen Courier und keinen Unterhändler Ew. Majestät über die Grenze zu lassen, da der Kaiser von Oesterreich in keine Verhandlungen mehr mit Ew. Majestät treten, sondern nur die Waffen entscheiden lassen wollte.

Sie wollen also Krieg! rief Napoleon mit flammenden Blicken und donnernder Stimme. Nun denn, so sollen sie den Krieg haben. Aber auf ihr Haupt komme das Blut der Tausende, die jetzt wieder in den Tod gejagt werden, um dem Hochmuth und der Thorheit der Fürsten zum Opfer zu fallen. Ich habe sie nicht gereizt, ich habe diesen Krieg nicht hervorgerufen. Ein Volk hat wohl das Recht der Selbstbestimmung, Niemand darf es hindern sich den Herrscher zu wählen, dem es sich unterordnen, dem es gehorchen will. Und Frankreich hat mich gewählt, es hat mich ersehnt, und als ich kam, hat es mich mit offenen Armen empfangen. Niemand hat Widerstand geleistet, Niemand hat sich mir widersetzt, und meine Rückkehr auf den Thron, den mir die Stimmen des französischen Volkes vor elf Jahren zuerkannt, ist ohne Schwertstreich, ohne Kampf erfolgt. Ein Wort von mir, und ganz Frankreich wird sich erheben. Seht Ihr nicht, mit welchem Enthusiasmus die Föderirten von Paris die Waffen empfangen haben und bereit sind, für mich, das heißt für Frankreich, in den Kampf zu gehen? Ich werde in allen Arrondissements, in allen Departements, in allen Städten Föderirte bilden, ich werde Waffen austheilen und ganz Frankreich wird nur noch Ein Heer und Ein Feldherr sein!

Sire, meldete der dienstthuende Kammerherr, indem er die Thür öffnete, Sire, der Herr Herzog von Otranto!

Ah, Fouché, rief der Kaiser, dem Eintretenden entgegengehend, Sie bringen mir sicher irgend eine Ueberraschung, da Sie zu so unerwarteter Stunde hierher kommen. Nun, was giebt es?

Sire, ich komme, um Ew. Majestät den Bericht abzustatten, den Sie von mir gefordert hatten, sagte Fouché. Ew. Majestät trugen mir auf, durch sichere, schnelle und gewandte Agenten die Stimmung in den Provinzen erforschen zu lassen. Ich habe dem Befehl Ew. Majestät genügt, meine Agenten sind heimgekehrt.

Und sie bringen, wie es scheint, schlimme Nachrichten, sagte Napoleon heftig, schlimme Nachrichten, denn Sie sehen ungewöhnlich heiter aus, Herzog, und das bedeutet mir nichts Gutes!

Sire, ich weiß nicht, ob die Nachrichten, welche meine Agenten gebracht haben, gerade als schlimme bezeichnet werden können, sagte Fouché, der den Angriff auf seine Person gar nicht gehört zu haben schien, jedenfalls aber sind diese Nachrichten beachtenswerth.

Nun, ich bin bereit, sie zu beachten, sagte der Kaiser, indem er sich auf seinen Lehnstuhl warf, und nach dem Federmesser griff, das auf seinem Schreibtisch lag, um an der Armlehne zu schnitzen, wie er das in Momenten innerer Aufregung zu thun pflegte.

Lassen Sie die Berichte Ihrer Agenten hören, Herr Herzog!

Sire, ich habe die Berichte aller meiner Agenten zusammengestellt und verglichen, sagte Fouché, und sie alle bestätigen dieselbe Thatsache. Der ganze Süden Frankreichs droht mit offener Insurrection. Die Vendée ist trotz der beiden Siege, welche die Truppen gegen die Aufrührer erfochten, trotz des Todes ihres Anführers La Rochejacquelin noch nicht bezähmt, und die Insurrection, statt erstickt zu sein, breitet sich immer weiter aus. Die Royalisten und Vendéeisten sind entschlossene, unversöhnliche Feinde. Sie haben ihr festes Ziel vor Augen, und sie verfolgen es mit unerschütterlicher Hartnäckigkeit. Bewaffnete Banden durchziehen die ganze Bretagne, dringen selbst bis in die Normandie vor, wo die Nachbarschaft der Inseln, und die Dispositionen der Küste die Communicationen leichter machen. Sie steigen auf der andern Seite durch die Cevennen bis zu den Ufern der Rhone, und veranlassen Revolten in der Languedoc und Provence. Bordeaux ist der Mittelpunkt der Direction dieser Umtriebe.

Weiter, rief der Kaiser, als Fouché jetzt einen Moment schwieg. Weiter! rief er noch einmal, aber ohne aufzusehen, eifrig damit beschäftigt, kleine

Holzstücke aus der Seitenlehne seines Fauteuils zu schnitzen.

Diese Partei der südlichen Royalisten, fuhr Fouché fort, diese Partei wird immer kühner, immer verwegener. Es ist ihr gelungen, sich mit dem Ausland in Verbindung zu setzen, und alle Pamphlets, die aus den Pressen Belgiens hervorgehen, Alles, was die auswärtigen Blätter gegen uns Gehässiges enthalten, Alles, was gegen das Kaiserreich geschrieben wird, weiß diese Partei der Vendéeisten durch ganz Frankreich zu colportiren. Diese Partei agitirt jetzt in Marseille, Toulouse und Bordeaux, und findet dort in den untersten Klassen begeisterten Anhang. Durch falschen Alarm, durch falsche Hoffnungen, durch Vertheilen von Geld, durch Anwendung von Drohungen ist die Partei dahin gelangt, die friedlichen Landbewohner, die zwischen der Loire, der Vendée, dem Ocean und der Rhone wohnen, zu insurgiren. Man hat da Waffen und Kriegsmunition eingeschifft. Die Hydra der Rebellion hebt ihr Haupt empor. Banden durchziehen das Land und halten die einberufenen Militairs und Matrosen mit Gewalt zurück, sie entwaffnen die Landbesitzer, verstärken sich durch die Bauern, die sie zwingen, mit ihnen zu marschiren, berauben die öffentlichen Kassen, bedrohen die Beamten, bemächtigen sich der Diligencen und halten die Couriere an; sie haben auf einige Tage sogar die Verbindung zwischen den wichtigsten Landesstädten unterbrochen. An den Ufern des Canals sind Dieppe und Havre von aufrührerischen Missionairen des Südens aufgeregt. In der ganzen funfzehnten Division hat man die National-Miliz nur mit der größten Schwierigkeit bilden können. Die Soldaten und Matrosen weigern sich, auf den Appel zu antworten, und gehorchen nur den Mitteln der Strenge. Caen ist zwei Mal von royalistischen Reactionairen beunruhigt worden, und in einigen Arrondissements der Orme bilden sich Banden wie in der Bretagne und der Vendée.*)

Und das Alles haben Sie durch die Geschicklichkeit Ihrer Leute zu Stande gebracht? fragte Napoleon, indem er aufspringend, das Federmesser bei Seite warf und dicht vor Fouché hintrat.

Ja, Sire, sagte Fouché, das Alles habe ich durch die Geschicklichkeit meiner Leute erfahren.

Nicht erfahren, sondern zu Stande gebracht, sagte ich, rief Napoleon ungestüm, den Herzog mit flammenden Zornesblicken anschauend. Ja, Sie sind es, welcher revoltirt,

*) Fleury III. S. 142.

welcher durch seine Agenten die Provinzen aufzuregen strebt, welcher, immer doppelzüngig und treulos, mit den Royalisten insurgirt, mit den Republikanern intriguirt, und es doch nicht verschmäht, mir zu dienen, gelegentlich mir die Absichten der Royalisten und Republikaner zu verrathen und ihnen dafür, wenn es Ihren Zwecken paßt, meine Absichten mitzutheilen.

Sire, Ew. Majestät wollen also immer noch nicht an meine Ergebenheit glauben, rief Fouché. Sie mißtrauen also noch immer meinem Eifer, Ihnen zu dienen.

Oh nein, sagte Napoleon verächtlich, Sie dienen mir, weil ich einmal da bin und weil es nicht in Ihrer Macht gestanden, mich fern zu halten. Sie dienen mir, weil es Ihnen doch immer noch lieber ist, handelnd einzugreifen, als unthätig im Dunkeln zu stehen. Aber Sie dienen mir nicht, weil Ich es bin, ich der Kaiser, sondern weil ich die Gewalt, die Regierung, das Mittel zu Ihrem Zweck bin. Und lassen Sie es Sich gesagt sein, mein Herr Herzog von Otranto, ich werde mir die Gewalt nicht aus den Händen winden lassen, trotz Ihrer Vendéeisten und Royalisten, ich werde das Haupt der Regierung bleiben, trotz Ihrer Republikaner und Revolutionairs! Seien Sie also klug und vorsichtig, dienen Sie mir treu, denn mein Auge wacht über

Ihnen, und wehe Ihnen, wenn es Sie auf einem Fehltritt ertappt! Senden Sie Ihre Agenten, welche Frankreich jetzt so insurgirt und royalistisch gefunden, abermals aus, und befehlen Sie ihnen nicht eher wieder zu kommen, als bis sie Ihnen die sichere und verbürgte Nachricht mitbringen können, daß die Insurrectionen unterdrückt, die Aufrührer zu ihrer Pflicht und zum Gehorsam gegen mich, ihren Kaiser, zurückgekehrt sind! Gehen Sie!

Er wandte dem Herzog den Rücken und trat in die Fensternische. Fouché schauete ihm nach mit einem Blick voll Haß und Zorn, dann verneigte er sich leicht vor Lucian und Caulaincourt, und ging langsam der Thür zu.

Natter, sagte der Kaiser, als Fouché hinaus gegangen war, Natter, welche sich Jedem unter die Füße legt, aber immer bereit ist zu stechen.

Der man daher lieber aus dem Wege gehen und sie nicht reizen sollte, sagte Lucian.

Ah, ich fürchte ihr Gift nicht, rief Napoleon. Ich bin kein Achill, die Stelle, wo ich sterblich bin, ist daher nicht an meiner Ferse und dem Stich der Natter nicht erreichbar. Der Himmel selbst muß seine Blitze senden, um die Eiche zu fällen und zu zerschmettern, die Nattern, die zu ihren Füßen ringeln, vermögen nichts über sie. Aber ich sehe wohl die Stürme heranziehen, ich sehe die Wolken des Gewitters sich aufthürmen, das vielleicht mit seinen Blitzen mich zerschmettern soll. — Doch still, keine schwermüthigen Seufzer jetzt! Ich habe alles dies vorausgesehen, ich habe gewußt, daß es viel Kämpfe und Unwetter geben würde, und darum habe ich mich vorbereitet, sie zu ertragen. Seht mich daher nicht so traurig an, Lucian, Caulaincourt. Hofft mit mir, arbeitet mit mir und bauet mit mir an dem Glück der Zukunft! Frankreich, welches mir entgegengejauchzt hat, welches mich auf seinen Armen bis hierher getragen hat, Frankreich wird mich auch jetzt nicht verlassen! Ich baue auf den Muth und den Patriotismus der Nation und auf mein eigenes Schwert!

III.

Die Intriguen Fouché's.

Der Herzog von Otranto war in seinem Cabinet eifrig damit beschäftigt, die Depeschen zu entziffern, die soeben ein Courier ihm überbracht hatte. Diese Depeschen waren in Chiffren geschrieben, die von so künstlicher und verwickelter Art waren, daß Niemand, außer dem Herzog und seinen Correspondenten, dieselben vermittelst des Schlüssels zu lesen vermochte.

Während Fouché jetzt, Dank seinem Schlüssel, den Inhalt der Depesche las, erhellte sein düsteres Antlitz sich immer mehr und ein hämisches Lächeln umspielte seine breiten, aufgeworfenen Lippen. Gute Nachrichten, die mir da der Fürst Metternich schreibt, sagte er leise vor sich hin. Man ist entschlossen zum äußersten Widerstand, man wird nicht eher ruhen, bis Bonoparte für immer gestürzt und auf irgend eine wüste Insel gebracht ist. Selbst im Fall eines entscheidenden Sieges Napoleons werden die Mächte nicht mit ihm unterhandeln, keine Friedensbedingungen vorschlagen, oder annehmen, sondern eine Heerschaar heranrücken lassen, um Bonapartes Armee zu bekämpfen. Ah, das ist gut, sehr gut, der Löwe ist umstellt, und von allen Seiten umgarnt, es wird ihm nicht mehr gelingen, sich zu befreien. Ich werde dafür sorgen, daß es keine Mäuse giebt, die ihm helfen und ihn befreien! Ja, ja, Metternich hat ganz Recht, meine Aufgabe ist es, während die Soldaten des Auslandes heranziehen, die Soldaten des Inlandes am Heranziehen zu verhindern! Meine Aufgabe ist es, das Land zu insurgiren, die Gemüther gegen ihn zu wenden und das Volk in Aufruhr zu bringen gegen den Tyrannen, der nur heimgekommen ist, um Frankreich auf's Neue unglücklich zu machen, und an den Rand des Verderbens zu führen! — Ach, wie scharf doch immer noch der Blick dieses Mannes ist! Er durchschaut meine Pläne und sieht, daß ich es bin, der bei den Aufständen und Revolten der Provinzen seine Hände ein wenig im Spiel hat. Er hätte so klug sein sollen, mich, da er dies erkannt hat, verhaften zu lassen, — aber der Löwe ist großmüthig und läßt seinem Feind ruhig die Freiheit weiter zu intriguiren, er stößt wohl einmal mit seiner breiten Tatze nach ihm, er versucht mit seinen flammenden Zornesblicken den Feind zu zerschmettern, aber da dieser ein zähes Leben und eine harte Haut hat, und weder von der Tatze zertreten, noch von dem Blick zerschmettert wird, wendet der Löwe ihm großmüthig den Rücken und läßt ihn gehen. Großmüthig! Ach, ich werde mich niemals eines solchen Fehlers schuldig machen, großmüthig zu sein, — Großmuth, das ist Dummheit und das ist der größte Fehler eines Staatsmannes. Bonaparte, statt mich verhaften zu lassen, hat die Dummheit gehabt, mir die Freiheit zu lassen. Er wird für diese Dummheit bestraft werden, denn ich werde es sein, der ihn stürzt! Auf denn, an's Werk! Die halbe Arbeit ist gethan, aber die Hälfte bleibt noch zu thun übrig!

Er klingelte heftig, und befahl dem eintretenden Kammerdiener, die vier Personen, die im Vorsaal sich befänden, eintreten zu lassen.

Wenige Secunden später traten die Gerufenen, vier düster blickende Männer von kräftiger Gestalt und energischem Aussehen, in das Cabinet des Polizeiministers ein, und blieben demüthig und schweigend an der Thür stehen.

Fouché ging ihnen entgegen, und gab ihnen einen stummen Wink näher zu treten. Meine Herren, sagte er, ich bin sehr mit Ihrem Eifer und Ihrer Geschicklichkeit zufrieden. Sie haben in den Districten, in die ich Sie gesandt, sehr gut gewirkt; meine höhern Agenten, denn Sie wissen es wohl, daß mein Auge überall wacht, daß ich überall meine geheimen Diener habe, die meine Agenten beobachten und mir Nachricht geben über ihr Betragen, meine höhern Agenten also haben mir gemeldet, daß Sie alle Vier mit großem Eifer und vieler Discretion gewirkt haben, und daß Ihrer Geschicklichkeit die Aufstände in Dieppe und der Normandie zum Theil zuzuschreiben sind. Meine Herren, dieser Eifer, dem König, Ihrem rechtmäßigen Herrn, zu dienen, macht Ihnen Ehre, und gewiß wird der König bei seiner Heimkehr die treuen Diener, die so Vieles für ihn gethan, und die ich nicht verfehlen werde, ihm zu nennen, gnädigst belohnen. Zu dieser Heimkehr des Königs mitzuwirken, das ist Ihre Aufgabe. Frankreich muß befreit werden von dem Tyrannen, der König muß uns wiedergegeben werden. Wir werden das erreichen, wenn wir darnach streben, daß das französische Volk immer mehr in offener Empörung sich erhebt, daß seine Männer sich weigern, der Trommel zu folgen und die

Pike zu tragen, und Napoleon die Kriegssteuern zu zahlen. Ihr habt bis jetzt in den Provinzen gewirkt, jetzt ist es Eure Aufgabe, in Paris selber Euch nützlich zu machen. Setzt Euch daher in Verbindung mit allen Denen, welche als treue Anhänger des Königs bekannt sind, macht Propaganda überall, bei den Bürgern, den Arbeitern, wie den Soldaten. Erzählt es in jedem Estaminet, in jedem Versammlungsort des Volkes, daß Napoleon verloren ist, daß Frankreich umstellt ist von den Armeen Englands, Preußens, Rußlands und Oesterreichs, daß mehr denn viermalhunderttausend Soldaten an unsern Grenzen stehen, und daß Napoleons Armee kaum einmalhunderttausend Mann stark ist. Streut auf allen Straßen die Proclamationen aus, mit denen der König sein Volk zu sich ruft, und die Ihr heute Abend von meinen Agenten werdet zugeschickt erhalten. Wendet Euch besonders an das Heer, sagt den Soldaten, daß sie dem sichern Tode entgegen gehen, wenn sie nicht umkehren, sondern Napoleon folgen. Sagt ihnen, daß die Generäle entschlossen sind, den Kaiser bei der ersten, passenden Gelegenheit zu verlassen, daß er weder auf Soult noch auf Ney rechnen kann, die Beide, bevor er hier war, dem König gedient haben, ihm im Geheimen immer noch dienen. Rathet ihnen, es ebenso zu machen, und sobald sie mit dem Feind zusammentreffen, zu diesem überzugehen, denn der Feind ist der Bundesgenosse unsers rechtmäßigen Königs, er ist nicht der Feind Frankreichs, sondern nur der Napoleons. Aber seid vor allen Dingen vorsichtig. Gebt Euch das Ansehen eifriger Anhänger des Kaisers, und wenn man Euch für Solche hält, so wendet Euch an diejenigen, die Euch mit scheelem Auge betrachten, die Euren Umgang meiden, diese sucht dann zu erobern, und durch sie Propaganda zu machen. — Habt Ihr Eure Aufgabe begriffen, und seid Ihr bereit, sie zu übernehmen?

Ja, Herr Herzog, wir sind bereit dazu, riefen alle Viere, wie aus Einem Munde.

So geht, sagte Fouché, ihnen freundlich zunickend, geht und laßt mich bald von Euch hören.

Die vier Männer verbeugten sich schweigend und gingen hinaus.

Und jetzt will ich meine Depesche für den Herzog von Wellington schreiben, sagte Fouché, sie muß heute Abend noch abgehen. Diese Engländer sind von einer unerträglichen Gewissenhaftigkeit, und ihre Ideen von Selbstregierung wollen sie auch auf andere Völker anwenden. Wellington will die verbündeten Mächte durchaus veranlassen, daß sie Frankreich nach dem Sturz Bonaparte's die Freiheit gewähren, sich selbst einen Herrscher und eine Regierungsform zu wählen, und sei diese selbst die Republik. Frankreich soll die Wahl haben, sich Bernadotte oder den Herzog von Orléans, oder irgend einen andern beliebigen Regenten zu wählen, außer aber den Sohn Napoleons! Ach, welch ein Thor ich war, für diesen Sprößling des Tyrannen wirken zu wollen, und eine Regentschaft für möglich zu halten! Nein, nein, dieser kleine König von Rom ist gleich seinem Vater von den Verbündeten in die Acht erklärt und es ist nichts mehr mit ihm anzufangen. Die ganze Bourbonische Brut muß ausgerottet werden, wie man die Bienen aus dem Bienenstamm räuchert, um sich des Honigs, den sie gebaut, zu bemächtigen. König Ludwig muß zurückkehren, er allein! Ich werde es sein, der ihn zurückkehren läßt, er wird mich dafür zu seinem Minister ernennen, ebenso gut, wie mich Napoleon dazu ernannt hat, den ich auch habe zurückkehren lassen. Die Gewalt wird in meinen Händen verbleiben, denn ich werde für Ludwig ebenso unentbehrlich sein, wie ich es für Napoleon war! Schreiben wir also diesem guten gewissenhaften Herzog von Wellington! Schreiben wir ihm, daß ganz Frankreich mit Sehnsucht seinem recht-

4*

mäßigen König entgegenharret, schildern wir ihm den Aufstand im Süden Frankreichs, sagen wir ihm, daß selbst in Paris Napoleon tödtlich verhaßt ist, und daß, wenn man den König Ludwig verhindert, hierher zu kommen, eine Erhebung von ganz Frankreich die Folge davon sein wird.

Er setzte sich und schrieb, indem er sich wieder der Chiffern bediente, doch nicht derjenigen, welche für seine Correspondenz mit dem Fürsten Metternich verabredet war, sondern ganz eigener Zeichen, zu denen auch nur wiederum der Herzog von Wellington den Schlüssel besaß.

Dann, nachdem er seinen Brief vollendet, klingelte er, und fragte den eintretenden Kammerdiener, ob Niemand im Vorzimmer sei, der eine Audienz begehre?

Ja, Durchlaucht, sagte der Diener, es ist so eben ein Herr erschienen, der Ew. Durchlaucht zu sprechen wünscht. Hier ist seine Karte.

Gut, sagte Fouché, nachdem er einen flüchtigen Blick auf die Karte geworfen, lassen Sie den Herrn eintreten. Aber sagen Sie, Jean, waren Sie bei der Frau Gräfin Du Cayla? Haben Sie ihr mein Billet übergeben?

Zu Befehl, Durchlaucht. Die Frau Gräfin wird um sieben Uhr sich hier einfinden.

In einer Viertelstunde also, sagte Fouché, nach der Pendüle blickend. Wenn die Dame kommt, führen Sie sie durch den Corridor in den Salon ein. Und jetzt öffnen Sie dem Herrn die Thür!

Der jetzt Eintretende war ein alter Herr, von militairischem Aussehen, elegant gekleidet, aristokratisch in jeder Bewegung, in jedem Zug seines Angesichtes.

Sie haben mich zu sprechen verlangt, mein Herr Graf Dantré, sagte Fouché, ihm lebhaft entgegen gehend, und ihm die Hand darreichend.

Der Graf schien das nicht zu bemerken. Er verbeugte sich und sagte mit frostigem Tone: ich muß mich wohl bei dem Herrn Herzog von Otranto melden, um von ihm den Paß zu erlangen, dessen ich bedarf.

Ah, rief Fouché lächelnd, indem er seine Hand zurückzog, ah, Sie zürnen mir also noch immer, Herr Graf. Sie und Ihre Gesinnungsgenossen nennen mich noch immer einen Verräther, bloß weil ich die Pläne des Herrn Herzogs von Orléans nicht unterstützte und ihm nicht half, seinen Oheim und Herrn König Ludwig vom Thron zu stoßen, um sich auf demselben niederzulassen.

Verzeihung, mein Herr, sagte der Graf Dantré, der Herr Herzog unterstützten ja unsere Pläne lange

Zeit mit regem Eifer, und nur erst dann, als Sie zu sehen vermeinten, daß diese Pläne vielleicht scheitern könnten, begannen Sie uns entgegen zu wirken und verriethen uns, indem Sie den Grafen Artois warnten vor dem, was Sie jetzt als eine Militair-Verschwörung bezeichneten, was Sie aber bis dahin Pläne zur Errettung des Vaterlandes genannt hatten.

Mein lieber Graf, sagte Fouché lächelnd, so lange ich glaubte, daß diese Pläne des Generals Lefebre-Desaouettes wirklich, wie er es versicherte, in der ganzen Armee ihre Sympathieen hätten, daß wirklich die ganze Armee bereit sei, Ludwig zu entthronen, und den Herzog von Orléans zu seinem Regenten zu erheben, so lange durfte ich allerdings Ihre Pläne als zur Errettung des Vaterlandes nothwendig bezeichnen. Als ich aber sah, daß der General Lefebre sich und uns Alle getäuscht, daß die Armee durchaus nur Napoleonisch und gar nicht Orleanistisch gesinnt war, da konnte ich die verwegenen Pläne des Generals nur als das bezeichnen, was sie waren, als eine Militair-Verschwörung.*) Denn in solchen Dingen entscheidet der

*) Ueber diese Militairverschwörung zu Gunsten des Herzogs Louis Philipp von Orléans siehe: Arnd, Geschichte der letzten vierzig Jahre. I.

Erfolg allein! Wäre Napoleon zum Beispiel mit seinem Einbruch in Frankreich gescheitert, hätte Frankreich ihn nicht aufgenommen, sondern ihn verjagt, so würde man ihn einen wahnsinnigen Thoren genannt haben, während man ihn jetzt einen großen Kaiser nennt. Und was nun den Vorwurf anbetrifft, daß ich Ihre Pläne an den Herrn Grafen von Artois verrieth, so sollten Sie Alle mir eigentlich dafür dankbar sein. Indem ich ihn warnte, und der Regierung also die Gelegenheit gab, Vorkehrungen zu treffen, verhinderte ich den Ausbruch einer Verschwörung, von der ich leider wußte, daß sie zu keinem glücklichen Ziel gelangen könnte, und errettete dadurch Viele, die, wenn die Verschwörung zum Ausbruch kam, und mißlang, sicher verloren gewesen wären. So hatte die Verschwörung wenigstens für Einen Menschen guten Nutzen, für mich, denn sie verschaffte mir das Vertrauen des Herrn Grafen von Artois.

Ich glaubte indessen, Herr Herzog, daß es wider das Gewissen streitet, die Geheimnisse Anderer zu verrathen.

Gewissen! Mein lieber Graf, das ist ein Feld, auf das ich Ihnen nicht zu folgen vermag. Gewissen, ich kenne kein Gewissen, ich handle immer so, wie es mir den Umständen, der Klugheit und meinen eigenen Interessen förderlich erscheint und lasse meinen Kopf niemals von Regungen des Herzens oder des Gefühls beirrt werden! — Aber ich glaube, Sie sind nicht hierher gekommen, um sich mit mir von der Vergangenheit zu unterhalten, sondern um mir ein Anliegen vorzutragen.

Ja, Herr Herzog, so ist es, sagte Graf Dantré. Ich habe Sie um einen Paß nach Holland zu bitten, wo ich einige Angelegenheiten zu ordnen habe.

Lieber Graf, sagte Fouché lächelnd, Sie vergessen, daß ich Chef der Polizei bin und daher wissen muß, was für Absichten und Angelegenheiten Sie beschäftigen. Offenherzig also. Sie sind bis jetzt in Ihrer Eigenschaft als Oberhofmeister der Herzogin von Orléans Penthièvres, die Paris wegen Krankheit nicht verlassen und nicht fliehen konnte, hier geblieben. Jetzt, da der Kaiser der Herzogin seinen Schutz und eine Pension versprochen hat, jetzt bedarf sie Ihres Schutzes nicht, und Sie wollen Sich daher zu dem Sohne der Herzogin, zum Herzog Louis Philipp von Orléans nach England begeben. Ist es nicht so?

Ja, Herr Herzog, es ist so. Ich will in Holland zu Schiffe gehen. Wollen Sie mir dazu einen Paß bewilligen?

Ich will es, aber unter der Bedingung, daß wenn Sie nach Holland gehen, Sie einen Abstecher nach Belgien machen. Es ist im Dienst des Königs Ludwig, und daher als guter Unterthan Ihre Pflicht. Nehmen Sie meine Bedingung an?

Ich nehme sie an, da es, wie Sie sagen, den Dienst des Königs betrifft!

Nun wohl, Herr Graf. Sie gehen nach Belgien, begeben Sich zur englischen Armee, verlangen den Herzog von Wellington zu sprechen und übergeben ihm diesen Brief, aber hören Sie wohl, nur ihm allein. Uebernehmen Sie den Auftrag?

Ich übernehme ihn und gebe mein Ehrenwort, daß ich ihn getreulich ausführen werde.

Dann ist hier der Brief und hier Ihre Pässe. Sie sehen, Herr Graf, ich kannte Ihre Pläne und rechnete auf Ihre Bereitwilligkeit, denn ich habe die Papiere schon ausgefertigt. Reisen Sie also, Herr Graf, reisen Sie mit Gott! Sagen Sie dem Herrn Herzog von Orléans, daß ich zu seinen treuesten Verehrern und Bewunderern gehöre, und daß, indem ich für Ludwig zu wirken scheine, ich doch eigentlich nur für ihn wirke. Denn die Dynastie der Bourbonen naht sich ihrem Ende und der Herzog von Orléans wird der Erbe dieses Thrones sein, den ich helfe für die Bourbonen zu erbauen! Leben Sie wohl und vergessen Sie nicht, daß ich Ihnen ein wichtiges Geheimniß anvertraut habe, indem ich Ihnen den Brief an den Herzog von Wellington gab.

Er begleitete den Grafen bis zur Thür, und dann hastig das Zimmer durchschreitend trat er durch die gegenüberliegende Thür in den Salon ein. Eine Dame von seltener Schönheit, Anmuth und Eleganz trat ihm entgegen.

Ah, Frau Gräfin du Cayla, rief der Herzog, die kleine weiße Hand, die sie ihm lächelnd darreichte, an seine Lippen drückend. Wie glücklich bin ich, Sie zu sehen.

Wissen Sie aber, Herr Herzog, sagte sie, daß ich hierher gekommen bin, um Ihnen zu zürnen? Ach, Ihre Unvorsichtigkeit ist wahrlich groß! Ich erkenne Sie nicht mehr! Sie richten ganz offen ein Billet an mich, an mich, von der man weiß, daß ich so eben aus Gent komme, daß ich dort Se. Majestät gesprochen habe, und daß ich eine Royalistin bin mit jedem Schlag meines Herzens.

Eben deshalb, sagte Fouché lachend, die Polizei hat die Pflicht, die gefährlichste aller Royalistinnen zu überwachen, und ich habe Sie also zu einem strengen

Verhör hieher beschieden. Der Kaiser wird es mir Dank wissen, daß ich so wachsam bin. Uebrigens, um Ihnen die Wahrheit zu sagen, ich gebe mir gar nicht mehr die Mühe mich zu verstellen. Die Sachen gehen so rasch vorwärts, daß man beinahe offenes Spiel spielen kann. Außerdem kenne ich auch meine Correspondenten und meine Boten. Nun aber vor allen Dingen, Gräfin, berichten Sie mir! Sie waren in Gent? Sie sahen den König?

Ja, ich war in Gent, und der König war mir gnädig wie immer. Er sehnt sich mit glühender Ungeduld, wieder nach Paris zurückzukehren, und er wird Ihnen ewig dankbar sein für die großen Dienste, die Sie ihm leisten.

Aber es wäre besser, wenn der König es versuchte, sich der Schuld seiner Dankbarkeit zu entledigen, sagte Fouché achselzuckend. Ich mache ihn zum König. Er könnte mich wohl dafür zu seinem Minister machen!

Ach, Herzog, rief die Gräfin erschrocken, wie könnten Sie jemals der Minister eines Bourbonen sein?

Sie meinen, schöne Gräfin, weil ich zu den sogenannten Königsmördern, weil ich zu Denen gehöre, welche für den Tod Ludwigs des Sechszehnten gestimmt haben?

Ja, sagte die Gräfin, ihn mit flammenden Blicken ansehend, ja das meine ich! Der König wird Ihnen verzeihen, er wird Ihnen in jeder Weise dankbar sein, aber er kann den Mörder seines Bruders nicht zu seinem Rathgeber, seinem Minister machen!

Gut, Madame, sehr gut, sagte Fouché lächelnd, Sie machen da Gefühlspolitik. Aber in dem Jahrhundert, in welchem wir uns befinden, ist diese Gefühlspolitik nicht anwendbar. Um nach einer Revolution regieren zu können, muß man weder ein Herz noch ein Gedächtniß haben, und sich nicht mit den gefühlvollsten, sondern mit den geschicktesten Menschen umgeben. Alles, was jetzt geschieht, beweist das zur Genüge.*) — Und haben Sie mir gar keine Antwort auf mein langes und dienstergebenes Schreiben an den König zu bringen, Gräfin?

Doch, Herr Herzog, sagte die Gräfin, einen Brief aus der Tasche ihres Kleides hervorziehend, hier ist ein eigenhändiges Antwortschreiben Sr. Majestät, und ich versichere Sie im Voraus, daß nur der König allein seinen Inhalt kennt, und ihn, ohne seine Minister,

---

*) Fouché's eigene Worte. Siehe: Mémoires d'une femme de qualité. Vol. II. S. 219.

oder auch nur mich zu Rathe zu ziehen, geschrieben hat. Ich bin daher sehr neugierig, und ich bitte Sie mir als Lohn für meine treuen Botengängerdienste den Inhalt des königlichen Handschreibens mittheilen zu wollen.

Fouché versprach es, und erbrach dann das königliche Siegel, um den Brief zu lesen.

Sehen Sie, meine schöne Gräfin, sagte er lächelnd, der edle, weise und freisinnige König hat die Gnade, mir Recht zu geben, daß man nicht mit dem Gefühl Politik machen muß. Erlauben Sie, daß ich Ihnen den Brief Sr. Majestät vorlesen darf. Er ist so inhaltsreich, und doch von so bewunderungswürdiger Kürze, daß er für ein Muster des Briefstyls gelten kann. Hören Sie, Gräfin. „Herr Herzog von Otranto! Ich danke Ihnen für Ihre Treue und Ihren Eifer, mir zu dienen! Fahren Sie so fort, und an dem Tage, wo ich die Grenzen meines Königreiches als souveräner Herrscher wieder überschreite, werde ich die Kabinets-Ordre unterzeichnen, welche Sie zu meinem Polizei-Minister ernennt. Ludwig."

Ah, das hat der König wirklich geschrieben? fragte die Gräfin überrascht.

Ich vermuthe, Sie kennen besser, als irgend Jemand die Handschrift Seiner Majestät, sagte Fouché lächelnd, überzeugen Sie Sich also.

Er reichte ihr das Billet dar, und die Gräfin heftete lange und aufmerksam ihre flammenden Blicke auf dasselbe.

Ja, sagte sie, es ist die Handschrift des Königs und Sie haben richtig gelesen! Da der König gesprochen hat, schweige ich, da der König weise ist und klug, folgt daraus, daß meine Ansicht thöricht ist, und daß wirklich, wie Sie sagen, man in der Staatspolitik kein Herz und kein Gedächtniß haben muß.

Nun also, mein Herr Herzog, frage ich Sie, wann wird der König die Ordonnanz, die Sie zu seinem Minister macht, unterzeichnen?

Das heißt, schöne Gräfin, Sie wollen nur fragen, wann wird der König nach Frankreich heimkehren? Aber das läßt sich jetzt noch nicht mit Bestimmtheit sagen! Es hängt von Napoleon nicht allein, sondern ebenso sehr vom König Ludwig selber ab!

Wie denn vom König?

Der König ist umgeben von Personen, welche seine Regierung unbeliebt gemacht haben. Er muß diese vor allen Dingen entfernen, wenn das Volk wieder Vertrauen zu ihm fassen soll.

Ach, Sie reden von Blacas, sagte die Gräfin seufzend, ich habe mich vergeblich bemüht, ihn zu stürzen. Er besitzt noch immer das Ohr und das Herz des Königs, und weiß alle edleren und aufgeklärteren Männer von ihm fern zu halten. Es hat mir nicht gelingen wollen, den König zum nähern Verkehr mit meinem Freund Chateaubriand zu bereden, Blacas wollte es nicht!

Er ist ein wahrhaft unbequemer Bursche, rief Fouché. Aber ich übernehme es, ihn zu stürzen, vorausgesetzt, daß der König das Memoire, welches ich für ihn eben ausarbeite, und welches ich ihm durch Ihre gnädige Vermittelung senden möchte, richtig empfängt, und Blacas es nicht escamotirt.

Auch ich werde dafür sorgen, daß er es nicht kann. Der Oberkammerherr des Königs, Prinz von Poix, liebt den Grafen Blacas auch nicht, und hat mir versprochen, mein Vermittler zu sein, so oft ich dem König, seinem Pylades zum Trotz, etwas mittheilen will.

Nun gut! Ich werde daran arbeiten, ihn bald zu stürzen, und besonders ihn zu verhindern, nach Frankreich zurückzukehren. Zu diesem Zweck werde ich versuchen, Furcht einzuflößen; mit der Furcht macht man aus gewissen Leuten Alles, was man will.

Ach, rief die Gräfin lachend, jetzt kenne ich also das große Geheimniß der Politik, es ist die Kunst, Furcht zu erregen! Aber sagen Sie doch, Herzog, wie lange werden wir denn diesen Herrn Bonaparte hier noch dulden müssen?

Fouché zuckte die Achseln. Geduld, sagte er, man muß besonnen sein und die Dinge nicht übereilen wollen. Er ist nun einmal da, und man kann ihn nicht fortnehmen wie einen Bauer im Schachspiel. Aber wir wollen sehen, was wir thun können, um ihn möglichst bald zu beseitigen.*) Sie haben ihn ja gesehen, nicht wahr?

Ja, die Königin Hortense ließ mich zu sich rufen, und dort hatte ich die Ehre, den Herrn Bonaparte zu sehen, der mich wie ein Inquisitor über den König, die Herzogin von Angoulême und den Grafen von Artois ausfragte. Aber er war nicht mehr der Kaiser früherer Tage, er war abgespannt, erschöpft, er fühlt, daß es mit ihm zu Ende geht.

Ach, Sie verkennen ihn, sagte Fouché lächelnd. Er fühlt sich jetzt nur augenblicklich unbehaglich, weil zwei

---

*) Fouché's eigene Worte. Siehe: Méneval: Mémoires. III. 247.

oder drei Männer wie Carnot und ich ein bischen seinem Despotismus entgegenarbeiten. Aber lassen Sie ihn erst zwei oder drei Schlachten gewinnen, wie Er sie zu gewinnen versteht, und Sie werden ihn eben so furchtbar und so energisch sehen, wie in früheren Tagen! — Ich habe ihm angezeigt, daß ich Sie rufen lassen und ihn nachher von dem Resultat unserer Conferenz benachrichtigen würde.

Nun, und was werden Sie ihm jetzt sagen? fragte die Gräfin lebhaft.

So ziemlich Alles. Daß Sie in Gent gewesen sind, um bei dem König Ihrer Gunst zu genießen; daß Sie versucht haben, den König für Herrn von Chateaubriand zu gewinnen; daß Herr von Blacas den Sieg über Sie im Geist des Königs errungen, und daß Sie jetzt in völliger Ungnade sind.

Sehr verbunden, rief die Gräfin, Sie lassen mich da eine Rolle spielen, unter der meine Eigenliebe bedeutend leidet.

Was thut Ihnen das? Die Hauptsache ist doch, daß man Sie in Ruhe läßt. Ich werde Sie hier in Paris unter Polizeiaufsicht stellen. Auf diese Art werden Sie täglich einen Vorwand haben, zu mir zu kommen, und unser Verkehr kann Niemanden auffallen.

Beunruhigen Sie Sich nicht, Sie werden dadurch keine Gefangene! Wenn Ihre Geschäfte oder Ihre Vergnügungen Sie nach außerhalb rufen, so sagen Sie es mir nur vorher, und ich werde Sie entschlüpfen lassen. Aber seien Sie vorsichtig, theuerste Gräfin. Vertrauen Sie nicht Allen Denen, welche sich Ihnen als Royalisten nahen, und theilen Sie ihnen nicht unsere kleinen Geheimnisse mit. Man wird Sie überwachen, und meine Polizei ist nicht die einzige hier. Vielleicht auch wird Napoleon selbst Sie rufen lassen, um Sie auszuforschen. Hüten Sie Sich vor seinem Späherblick.

Ach, sagte die Gräfin lächelnd, er ist ein Mann, ich bin eine Frau, ich habe also gewonnenes Spiel gegen ihn.

Verlassen Sie Sich nicht so fest darauf, sagte Fouché achselzuckend, der Kaiser ist sehr geschickt. Ich selbst habe oft große Mühe, ihn zu täuschen. Er hat ein wunderbares Ahnungsvermögen. Aber unsern vereinten Kräften soll und wird es dennoch gelingen, ihn zu täuschen, und wenn er in den Schlachten, zu denen er jetzt auszieht, nicht von einer Kugel um's Leben kommt, so werden wir ihn in den Netzen unserer Ränke erwürgen. Es giebt nur noch Ein Mittel, durch das er seinen Untergang noch etwas verzögern könnte. Er müßte, bevor er zur Armee abgeht, mich verhaften lassen. Thut er das nicht, so ist er verloren, denn alsdann hat er nicht bloß vor sich einen vier Mal überlegenen Feind, sondern hinter sich eine Insurrections-Armee, deren Feldherr ich bin, die ihn sicher entthronen wird.

5*

IV.

Napoleons Abreise zur Armee.

Es war am Abend des elften Juni. Der Kaiser hatte seine Minister berufen, um zum letzten Male vor seiner Abreise zur Armee mit ihnen sich zu berathen und ihnen gewissermaßen sein politisches Testament zu übergeben.

Seit vier Stunden befanden sich seine Minister bei ihm in seinem Cabinet, und mit klarem Blick und ernster Ruhe überlegte der Kaiser mit ihnen alle Wechselfälle der Zukunft und gab für alle diese seine Bestimmungen.

Während der Dauer seiner Abwesenheit sollte ein Regentschaftsrath die Geschäfte der Regierung verwalten, und die vierzehn Mitglieder dieses Regentschaftsrathes, an dessen Spitze die beiden Prinzen Joseph und Lucian standen, hatten ihren Eid der Treue in die Hände des Kaisers abgelegt.

Im Fall, daß der Tod den Kaiser auf dem Schlachtfelde ereilte, sollte der Regentschaftsrath sogleich den Sohn des Kaisers als Napoleon den Zweiten zum Kaiser proclamiren und für ihn die Regierung übernehmen und das Reich verwalten, bis es den Bemühungen der Nation gelungen, Oesterreich zur Herausgabe des jungen Kaisers zu veranlassen.

Jetzt waren die Geschäfte beendet. Der Kaiser erhob sich aus seinem Lehnsessel und ließ seine forschenden Blicke an den Gesichtern seiner Minister dahingleiten, ließ sie so lange mit bohrendem Ausdruck auf jedem Einzelnen ruhen, als wolle er die geheimsten Gedanken ihrer Seele in ihren Mienen lesen.

Helft mir das Vaterland retten, sagte er dann mit jenem wunderbaren metallenen Ton, der ihm in den großen Momenten eigen war und alle Herzen erzittern machte. Wir gehen einem großen und ernsten Kampf entgegen, laßt uns Alle unsere Pflicht gegen das Vaterland erfüllen. Ich werde Euch mit einem guten Beispiel vorangehen. Ich werde auf dem Schlachtfeld die Freiheit und Unabhängigkeit Frankreichs vertheidigen und nur dies Eine Ziel im Auge haben. Ihr, meine Herren Minister, Ihr werdet Sorge tragen, Frankreich im Innern die Ruhe und den Frieden zu sichern, deren es so sehr benöthigt ist. — In den schwierigen und verwickelten Zeiten müssen große Männer wie große Nationen die ganze Energie ihres Charakters entfalten und ein Gegenstand der Bewunderung für die Nachwelt werden. — Ich reise diese Nacht ab. Meine Herren, thun Sie Ihre Pflicht; die Armee und ich wir werden die unsrige thun. Ich empfehle Ihnen Eintracht, Eifer und Energie. Leben Sie wohl.*)

Er neigte leise sein Haupt und winkte ihnen mit der Hand einen letzten Abschiedsgruß zu. Schweigend, mit bleichen Gesichtern, mit traurigen Mienen gingen die Minister, gesenkten Hauptes einer hinter dem andern dahin schreitend, durch das Gemach der Thür zu. Napoleon immer noch aufrecht vor seinem Tisch stehend, die rechte Hand auf denselben aufgestützt, sah sie mit unbeweglichem, ehernem Antlitz, mit düstern Blicken dahin ziehen. Dann, als der letzte von ihnen verschwunden war, als die Thür sich hinter ihnen geschlossen hatte, dann sank er schwer und rasch, wie eine vom

---

*) Napoleons eigene Worte. Siehe: Cochelet: Mémoires sur la reine Hortense. Vol. III. 106.

Blitz gefällte Eiche, wieder in den Lehnstuhl nieder, und das Haupt tief hernieder gesenkt auf seine Brust, die Stirn in finstere Falten gelegt, starrte er vor sich hin.

Er hörte es nicht, wie sich die Thür des Vorsaals wieder öffnete, er sah nicht, daß Caulaincourt eintrat, und schüchtern und unentschlossen neben der Thür stehen bleibend, zu ihm hinschauete mit Blicken voll unendlicher Liebe und Trauer.

Sire, sagte er dann ganz leise, Sire!

Napoleon hob langsam sein Haupt empor, und er schien gar nicht überrascht, den treuen Freund da unaufgefordert vor sich zu sehen. Mit einem matten Lächeln streckte er ihm die Hand entgegen. Caulaincourt eilte vorwärts; vor dem Kaiser in die Kniee sinkend, nahm er seine Hand, und drückte sie fest an seine Brust, und blickte mit dem Ausdruck inbrünstigen Flehens zu ihm empor.

Sire, sagte er mit zitternder Stimme, Sire, nehmen Sie mich mit sich, lassen Sie mich an Ihrer Seite bleiben.

Der Kaiser schüttelte langsam das Haupt. Nein, sagte er, ich bedarf hier in Paris mehr eines treuen Freundes, als bei der Armee. Dort stütze ich mich auf meine eigene Kraft, hier muß ich Jemand haben, der mich vor dem Verrath und den Intriguen meiner Feinde behütet. Sie müssen bleiben, Caulaincourt, ich kann Sie hier nicht entbehren, ich habe Niemand, der Sie mir hier ersetzen könnte!

Oh Sire, rief Caulaincourt tiefbewegt, Sie schlagen es mir ab? Sie wollen mir nicht erlauben, Ihre Gefahren mit Ihnen zu theilen?

Mein Freund, sagte der Kaiser sanft, die Gefahren, die mich auf dem Schlachtfelde erwarten, sind nicht die schlimmsten, welche mich bedrohen. Größere Gefahren giebt es hier, und diese sollen Sie für mich ertragen. Man wird mir dort nicht den Gehorsam verweigern, aber hier lasse ich Intriguanten und Wühler genug zurück, welche nur auf den Moment lauern, daß ich abreise, um ihre Intriguen und Ränke gegen mich zu spinnen. Haben Sie also ein wachsames Auge, Caulaincourt, suchen Sie einzuwirken auf die einflußreichen Mitglieder der Kammern, damit sie wenigstens für die Dauer des Krieges inne halten in ihrer unsinnigen großsprecherischen Opposition. Ach, fuhr er fort, indem er aufstand, und die Hände auf dem Rücken gefaltet im Zimmer auf- und abging, ach, ich hasse diese prahlhänsigen sogenannten Liberalen. Es sind eitle Thoren, die nur deshalb Opposition machen, um sich dabei in den Vordergrund zu stellen, die ihrer persönlichen Eitelkeit das Glück, den Frieden und die Eintracht des Volkes und des Landes opfern. Sie sind es, diese liberalen Schwätzer der Kammern, welche mir die Sympathieen meines Volkes zu entziehen trachten, und die Unzufriedenheit erwecken. Ach, diese Kammern, diese Constitution! Es ist eine Fessel, welche die Hände des Regenten bindet und ihn zu einer Puppe macht, mit welcher die eitlen Schwätzer der sogenannten Volksvertretung spielen möchten. Aber ich werde ihnen dies Spiel nicht lange gestatten, und ein Tag wird kommen, wo ich diese nur vom Winde ihrer Eitelkeit aufgeblähten, großen Männer in meinen Händen zerdrücken und klein machen werde. Sobald ich Frieden habe von Außen, werde ich Ruhe schaffen im Innern, und die Kammern für immer auflösen.

Oh Sire, das wäre ein gewagtes und gefährliches Unternehmen, rief Caulaincourt seufzend. Das französische Volk hat sich mit einer wahrhaften Begeisterung diesen neuen liberalen Institutionen zugewandt, und würde Den für seinen Feind halten, der ihnen dieselben zu entreißen trachtete.

Ja, es ist wahr, die Nation macht die Kinderkrankheit des parlamentarischen Liberalismus durch, sagte

Napoleon gedankenvoll. Ich habe sie anders wiedergefunden, als ich erwartete. Welch eine Veränderung ist in diesen elf Monaten meiner Abwesenheit mit den Franzosen vorgegangen! Wie haben mir diese Bourbonen Frankreich zugerichtet, und wie viel Mühe wird es mir kosten, sie wieder auf die rechte Bahn zu bringen!*) Es ist Alles anders geworden, und statt der gehorsamen, schweigenden Unterthanen, finde ich eine aufrührerische Masse, die sich vermißt ihr eigener Herr sein zu wollen, und sich sogar beleidigt fühlt, wenn ihr Herrscher von ihnen Gehorsam und Unterwürfigkeit fordert. Der nationale Wille, das ist es, was man an die Stelle des Gehorsams gegen das Oberhaupt der Nation gesetzt hat. Hat mir Carnot doch gestern mit seiner impertinenten Ruhe gesagt: Sire, die Franzosen sind ein freies Volk geworden. Dieser Titel „Unterthanen“, den Sie ihnen so oft geben, beleidigt und erschreckt sie. Nennen Sie sie „Bürger“ oder noch besser, nennen Sie sie Ihre „Kinder.“**) — Nun wohl, wenn die Franzosen meine Kinder sind, so müssen sie

*) Napoleons eigene Worte. Siehe: Las Cases. Mémoires. Vol. III.

**) Fleury: Mémoires. III. 109.

mir als ihrem Vater gehorchen. Dazu aber haben sie nicht die mindeste Neigung. Bin ich denn nicht mehr der Kaiser?

Ja, Sire, seufzte Caulaincourt, Sie sind der Kaiser, aber mit einer Constitution!

Das heißt mit einem Thron über meinem Throne, mit einer Krone über meiner Krone! Das heißt, ich habe da ein Haus voll aufgeblasener Schwätzer, die vermeinen, daß man mit schönen und wohlklingenden Phrasen einen Staat regieren könnte, daß liberale Redensarten genügten, um eine Nation glücklich zu machen. Aber diese parlamentarischen Diskussionen, diese Polemik der Parteien, diese fortgesetzten Angriffe auf die Unantastbarkeit des Herrschers, die sind es, die mir mein Volk verführen! Es ist, wie gesagt, eine Kinderkrankheit, welche die Franzosen während meiner Abwesenheit befallen hat, und ich fürchte, es wird lange dauern, ehe ich sie wieder von derselben geheilt habe. Wenn ich wiederkehre, werde ich die Cur damit beginnen, daß ich die Schwätzer der Kammern zum Schweigen bringe. Man kennt den Arm des Kaisers nicht mehr, aber bei meiner Heimkunft soll man ihn kennen lernen!*)

Sire, darf ich eintreten, fragte eine Stimme hinter

*) Napoleons eigene Worte. Siehe: Fleury III.

ihm, und in der halbgeöffneten Thür erschien die Gestalt des Prinzen Lucian.

Ja, sagte Napoleon ihm zunickend, ja, treten Sie ein, mein Bruder. Ich werde dann die beiden Getreuesten meiner Getreuen um mich haben. Früher war das anders, fuhr er düster fort, früher hatte kein Souverain treuere Diener, geschicktere Generäle! Aber nein, ich will mich nicht beklagen. Viele sind mir treu geblieben und über die Abwesenden will ich die Anwesenden nicht vergessen. Frankreich hat mich mit einer Begeisterung empfangen, welche meinen Zug von Cannes hierher zu einem Epos gemacht hat, das die Nachwelt einst ebenso bewundern wird, wie die Dichtungen des Homer; ich habe hier viele meiner Getreuen wiedergefunden, die Herzen meiner Soldaten schlagen noch eben so warm für mich wie in den frühern Tagen, und auf den Eifer, die Tapferkeit und Treue meiner Armee kann ich mich unbedingt verlassen.

Mein Bruder, sagte Lucian, ich kam hierher, um Ihnen noch von einem Ihrer Diener früherer Tage zu sprechen, der freilich Eurer Majestät die Treue gebrochen hat, der jetzt aber demüthig und reuevoll zu Ihnen zurückkehren möchte, und mich um meine Fürsprache bei Eurer Majestät gebeten hat.

Wer ist es? fragte Napoleon lebhaft.

Sire, es ist Murat!

Murat, rief der Kaiser mit lauter, zorniger Stimme. Murat, der Verräther, der mich treulos und undankbar in den Tagen der Gefahr verlassen hat, der wagt es jetzt, zu mir zurückkehren zu wollen?

Sire, er bereuet, oder ist bereit, so viel in seinen Kräften steht, wieder gut zu machen!

Das heißt, nicht wahr, er ist von den Oesterreichern besiegt, aus seinem Lande verjagt worden, und hat sich jetzt nach Frankreich geflüchtet, um sich hier vor der Verfolgung seiner Feinde zu sichern?

Ja, es ist wahr, sagte Lucian traurig, Murat ist besiegt worden. Er wollte sich zum König von Italien machen, er hatte große und heldenkühne Pläne, aber sie sind nicht zur Ausführung gekommen. Die Völker Italiens haben seinem begeisterten Zuruf nicht entsprochen, sie haben nicht für ihn und die Unabhängigkeit Italiens zu den Waffen gegriffen, und sein eigenes Heer ward in zwei Schlachten von den Oesterreichern geschlagen, bei Macerata und bei Introdocca. Er eilte zurück nach Neapel, um neue Streitkräfte zu sammeln, doch er fand seine Hauptstadt in Aufruhr; die Lazzaroni waren bereit sich für ihren frühern König Ferdinand zu erheben, und sein eigenes Heer wandte sich von ihm; die Oesterreicher näherten sich unter den Generalen Neipperg und Bianchi der Hauptstadt.

Und unsere Schwester Caroline? fragte Napoleon.

Sire, Murat fand sie im Begriff, mit ihren Kindern ein englisches Schiff zu besteigen, das sie nach Triest bringen sollte.

Als Staatsgefangene der europäischen Mächte, rief der Kaiser mit grollender Stimme. Es ist diesen von ihrer eigenen Furcht zu barbarischer Gewaltthätigkeit aufgestachelten Souverainen ja nicht genügend gewesen, Mir den Krieg zu erklären, gegen mich ihre Donnerkeile zu schleudern, sie haben meine ganze Familie in den Bann gethan und erklärt, sie zu Gefangenen machen zu wollen, wo immer sie sie träfen. Meine gute treue Caroline muß also schon das Joch auf ihrem Nacken tragen. Und Murat? Er ist den Oesterreichern entkommen?

Ja, mein Bruder! Verkleidet, in einer Fischerbarke, ist er entflohen, und hat vor einigen Tagen das Glück gehabt, die Küste Frankreichs betreten zu können. Sire, er beschwört Ew. Majestät, ihm zu verzeihen, ihn wieder in Ihre Dienste aufzunehmen.

Niemals, rief Napoleon mit Ungestüm, niemals werde ich ihn in meiner Nähe dulden. Sein Verrath gegen mich hat ihn gebrandmarkt, ich kann ihn nicht wiedersehen.

Sire, sagte Caulaincourt mit flehender Stimme, Ew. Majestät sollten gnädigst die Vergangenheit zu vergessen suchen. Murat wird Ew. Majestät auf dem Schlachtfelde nützlich sein können. Ew. Majestät haben ihn zu einem geschickten Reitergeneral gebildet, und er versteht es, die Truppen zu enthusiasmiren, durch seine eigene persönliche Tapferkeit sie zu Heldenthaten zu entflammen.

Meine Armee wird auch ohne ihn Heldenthaten verrichten, rief Napoleon, mit Mir wird sie auch ohne Murat zu siegen wissen! Ach, Ihr seht mich Beide traurig und seufzend an? Ihr glaubt nicht an meine Siege? Aber ich sage Euch, ich werde dennoch siegen. Kommt hieher, schaut mit mir auf die Karte!

Er stieß ungestüm die Tapetenthür auf, die von dem Cabinet in das Landchartenzimmer führte und trat in dasselbe ein, gefolgt von Lucian und Caulaincourt. Mit raschen Schritten eilte er zu dem in der Mitte des Zimmers befindlichen Tisch, auf welchem unter vielen andern Karten eine mit vielen Nadeln bezeichnete große Karte ausgebreitet war.

Seht, rief Napoleon, dessen Antlitz jetzt wieder flammte von kühner Energie, seht, ich habe da das Horoscop meiner Zukunft aufgestellt, und ich sage Euch, es ist mir günstig. Meine Spione und Agenten haben mich gut unterrichtet und ich kenne ganz genau die Stellung und die Stärke der Verbündeten. Sie rücken in drei großen Heeressäulen heran, die sich von den Ufern der Maas bis nach den Alpen hinziehen, die, nach ihrem Plan, zu gleicher Zeit die französische Grenze überschreiten und gegen Paris marschiren sollen. Denn sie vermeinen, daß ich so thöricht wäre, hier in Paris zu bleiben, das Anmarschiren ihrer vereinten Streitkräfte zu erwarten, und dann erst zu versuchen, mich, den Umzingelten, gegen ihre Uebermacht zu vertheidigen. Thor, der ich wäre, mich in ihren Netzen einfangen zu lassen, den Vertheidiger, statt des Angreifers zu spielen! Sie wollen den Krieg, sie sollen ihn haben! Ich werde ihnen denselben auf halbem Wege entgegen tragen. Seht, hier oben in Belgien, hier stehen hundertzwanzigtausend Preußen. Der betrunkene alte Reitergeneral, der Blücher, führt sie an, ein tollkühner Raufbold, der sich für einen Helden hält, weil ihm im vorigen Jahre der Zufall günstig gewesen und ihn seinen tollen Handstreich auf Paris hat ausführen lassen. — Hier unsern von den Preußen, hier, wo die rothen Nadeln sind, da steht das aus allerlei Nationalitäten zusammengestellte englische Heer von hunderttausend Mann. Der Herzog von Wellington führt sie an. Ich kenne ihn, denn ich habe ihn in Spanien und Portugal fünf Jahre zu bekämpfen gehabt. Er ist ein tapferer und entschlossener Soldat, aber er ist langsam in seinen Bewegungen, der kühne Angriff ist nicht seine Sache. Darauf baue ich meinen Plan. Hier, weiter abwärts an den Ufern des Rheins, ziehen zweimalhunderttausend Oesterreicher heran, und hier an den Schweizer Grenzen sammelt sich ein deutsch-piemontesisches Heer von hunderttausend Mann. Aber diese beiden Heere kümmern mich ebenso wenig, wie das russische Heer, das in weiter Ferne heranrückt, wie das spanische Heer, das sich den Pyrenäen nähert. Wenn diese vier Heere an den Grenzen Frankreichs anlangen, wird das Schicksal schon entschieden haben, ich werde alsdann den Mächten entweder den Frieden diktiren können, oder es wird für mich Alles beendet sein! — Ich habe es nur mit den Preußen und Engländern zu thun!

Das heißt mit zwei Armeen, die zusammen zweimalhundertundzwanzigtausend Mann stark sein werden, sagte Lucian.

Ja, und ich werde ihnen nur hundertundfunfzigtausend Mann entgegenzustellen haben, rief der Kaiser lebhaft, aber ich werde meine Armee wie einen Keil zwischen diese beiden Armeen hineinzwängen, und ich werde sie auseinandersprengen. Sie liegen einige Stunden weit auseinander, ich werde mit meinem Heer diesen Zwischenraum ausfüllen. Sie glauben mich noch nicht zum Kriege gerüstet, sie glauben, daß ich ihnen noch einige Wochen Ruhe lassen werde, bis alle Recruten ausgehoben, alle Föderirten bewaffnet sind. Sie sind daher auch nicht auf den Angriff vorbereitet. Der alte Blücher glaubt in seinem Lager gemächlich rauchen und trinken zu können, Wellington meint, daß ich ihm Zeit lasse, in Brüssel den zu seinen Ehren veranstalteten Festlichkeiten beizuwohnen. Seine einzelnen Armee-Corps liegen ziemlich weit auseinander, und bei seiner Bedächtigkeit und Vorsicht wird er den Kampf nicht eher annehmen, als bis er sein ganzes Heer vereinigt hat. Wenn er mein unvermuthetes Erscheinen erfährt, wird er sich anfangs zurückziehen, ich werde das benutzen, um mich auf die Preußen zu stürzen, und der alte Blücher wird tollkühn genug sein, den Angriff anzunehmen. Es kommt nur darauf an, daß er meine Annäherung nicht vorher erfährt, und nicht Zeit findet seine Corps schneller zusammenzuziehen. Er glaubt mich hier in Paris beschäftigt; während er daher müßig und unthätig ruht, stürze ich mich auf ihn und der Tag von Jena wird sich für ihn wiederholen. Ich reibe die preußischen Heeres-Abtheilungen auf, dann, wenn dies vollbracht, dann wende ich mich den Engländern zu. Ich zwinge Wellington, der seine Corps noch nicht zusammengezogen hat, zur Schlacht, er wird stutzen, zurückweichen, meine Truppen, siegbegeistert, werden auf ihn eindringen, und wenn das Glück, das sich so oft mir günstig gezeigt, auch dies Mal nur etwas für mich thut, so werde ich Wellington besiegen, wie ich Blücher besiegt habe. — Dann werde ich unterhandeln, werde mich auf's Neue an Oesterreich wenden, und Frieden anbieten, und wenn meinen Anerbietungen einige gewonnene Schlachten als Herolde voraufgehen, wird der Kaiser von Oesterreich meine Couriere nicht zurückweisen, sondern er wird meinen Vorschlägen ein williges Ohr leihen. Ach, ich kenne ja diese Fürsten, sie haben mir immer geschmeichelt, sich immer vor mir in den Staub gebeugt, sobald ich Sieger war, sobald die Furcht vor der Schärfe meines Schwertes sie überkam. Ich werde ihnen beweisen, daß mein Schwert noch nicht stumpf geworden, daß ich noch immer der Kaiser

6*

Napoleon bin, dem sie so viele Jahre zu Füßen gesessen, ich werde sie zwingen, sich wieder vor mir zu demüthigen, und mich wieder als Kaiser von Frankreich anzuerkennen.

Der Himmel gebe, daß dieser Tag der Gerechtigtigkeit für Ew. Majestät kommen möge, rief Caulaincourt begeistert, denn die Fürsten haben die Strafe Gottes gegen sich herausgefordert, sie haben in dem Schrecken vor Ihrer Person zu schmachvollen und unwürdigen Mitteln ihre Zuflucht genommen, und indem sie Ew. Majestät zu ächten meinten, haben sie sich selbst geächtet.

Ja, sie haben schlecht, sie haben unwürdig an mir gehandelt, sagte Napoleon mit zorniger Stimme. Ich war ihres Gleichen, ich war auch auf Elba noch ein freier Souverain, wie sie, und sie selber hatten im Vertrag von Fontainebleau meine Souverainetätsrechte anerkannt. Ich war noch immer der Kaiser, wie ich es gewesen in den Tagen von Erfurt und Dresden. Ich war und blieb der von der Hand des Papstes gesalbte Souverain, dessen Krone, wie klein sie immer sein mochte, man respectiren mußte. Niemand konnte das jedem Souverän zustehende Recht, andern Souveränen den Krieg zu erklären, mir streitig machen. Und ich erklärte Ludwig, der sich König von Frankreich nannte, den Krieg, ich wollte, was ich verloren, wieder gewinnen. Was kümmerten die auswärtigen Mächte diese Streitigkeiten im Innern Frankreichs? Waren sie es, die ich angriff, die ich bedrohete? Ich forderte nur Frankreich, nur meinen von allen europäischen Mächten, außer England, einst anerkannten Kaiserthron von Frankreich, es war eine innere Angelegenheit, die ich mit der französischen Nation, mit den Bourbonen allein abzumachen hatte. Aber die Furcht vor mir hatte den Verstand der auswärtigen Fürsten verwirrt, und die Furcht machte, daß sie, die einst als Bewunderer zu meinen Füßen gesessen, die mich ihren Freund genannt, die von mir Kronen zum Geschenk erhalten, sich jetzt gegen mich verbündeten und eine Achtserklärung gegen mich schleuderten, als sei ich ein Banditenchef, als lebten wir noch in den grauen Zeiten des Mittelalters, und es gäbe kein Völkerrecht, und das Faustrecht allein sei noch gültig. Oh, sie werden es eines Tages bereuen, so gehandelt zu haben, ihre eigenen Völker werden sie dafür strafen, daß sie in mir die monarchische Würde, die Moral und Gerechtigkeit verletzt haben. Die Völker werden keinen Glauben mehr haben an das Wort ihrer Fürsten, denn sie werden meiner gedenken, und sich erinnern, wie die Fürsten mir ihr Wort, ihre Treue gehalten, und welcher Art die Moral ist, die sie üben, wie heilig ihnen die Familienbande sind, welche sie schließen. Ich bin der Schwiegersohn des Kaisers von Oesterreich, und Er ist es, der allem Völkerrecht zum Trotz, mir den Krieg erklärt, Er ist es, der meine rechtmäßige Gemahlin mit Gewalt von mir fern hält, der mir sogar meinen Sohn, meinen armen kleinen König von Rom, der dem Vater sein Kind verweigert. Lucian, Caulaincourt, habt Ihr den Baron Meneval gesprochen, hat er Euch von meiner Marie Louise, von meinem kleinen Napoleon erzählt?

Ja, Sire, sagte Lucian mit düsterer Miene, er hat mir erzählt, daß die Kaiserin mehr Furcht vor ihrem Vater als Liebe für ihren Gemahl empfindet, daß sie hätte entfliehen können, daß sie es aber nicht gewagt hat!

Ach, Du mußt ihr das nicht übel nehmen, rief Napoleon, dessen Stimme jetzt weich und milde war, dessen Antlitz jetzt zuckte vor innerer Bewegung. Nein, Du mußt das meiner armen Louise nicht übel nehmen. Sie ist ein schüchternes, furchtsames Weib, das keine Kraft in sich fühlt, dem Schicksal zu trotzen, eine Frau, die ihren Vater als eine Autorität betrachtet, gegen die sie als Tochter nicht opponiren darf. Aber sie liebt mich dennoch, das weiß ich, und sie würde glücklich sein, wenn man ihr gestattete, zu mir zurückzukehren. Und mein Sohn, mein kleiner blondlockiger Knabe? Habt Ihr's gehört, daß er immer noch an seinen Vater denkt, daß er ganz leise und schüchtern dem Baron Meneval zugeflüstert hat, er solle mir sagen, daß der kleine König von Rom mich noch immer lieb habe? Ach, sie wollen es ihm verbieten, seinen Vater zu lieben; sie sind grausam genug, ihm sogar seinen Namen zu stehlen, und sie nennen sich Christen und sie wagen es, von christlicher Liebe und Moral zu sprechen! Einem Kinde den Namen zu nehmen, den es von geweiheter Priesterhand in der heiligen Taufe erhalten hat, ihm denselben bloß deshalb zu nehmen, weil es der Name seines Vaters ist. Und mein armer Knabe weint darüber und will nicht Franz heißen, will kein Oesterreicher sein. Ach, ich hätte ihn sehen mögen, wie er mit Thränen in den Augen zu Meneval sagte: Erzählen Sie es nicht meinem Papa, daß sie mich hier Franz nennen. Es würde ihm wehe thun.

Der Kaiser, überwältigt von seiner eigenen Rührung, verstummte und legte die Hand über sein Angesicht, um Niemand die Thränen sehen zu lassen, die in seinen Augen standen. Dann nach einer Pause ließ er seine Hand wieder niedergleiten und seine Züge hatten wieder die eherne Ruhe angenommen.

Ich werde sie zur Rechenschaft ziehen für diesen Frevel, den sie an den geheiligten Gesetzen der Natur verübt haben, rief er mit drohender Stimme, und wenn ich es nicht vermag, so wird Gott selber ihre Strafe übernehmen! Aber vorläufig will ich versuchen, selber sie zn strafen. Die Menschen haben mich oft den Löwen genannt, nun wohl, wir werden ja sehen, ob der Löwe noch seine Kraft und sein Glück früherer Tage besitzt.

Der Himmel gebe es, rief Lucian, der Himmel mache Sie zum Sieger über alle Ihre Feinde.

Der Himmel! Du meinst also doch, mein Bruder, daß ich allein dazu nicht stark genug bin, und daß ich dazu noch des Bundes mit Dem da oben bedarf?

Und Sie, Caulaincourt! Bezweifeln auch Sie, daß ich das Werk allein vollenden, den Sieg allein erkämpfen kann?

Sire, es bedarf ein Jeder zu seinem Glück der Allianz mit dem Souverain da droben. Wenn Er nicht mit Ihren Feinden ist, so werden sie besiegt werden, obwohl sie zwei Mal stärker sind als Ew. Majestät.

Das will sagen, wenn Er nicht mit mir ist, so werde ich besiegt werden, weil sie mir zweifach überlegen sind. Ja, es ist wahr, murmelte Napoleon düster vor sich hin, die Kräfte sind ungleich. Ich habe nicht allein ein viel geringeres Heer, sondern es fehlen mir auch die Marschälle und Generäle, mit denen ich gewohnt war, zu siegen. Wo sind sie Alle, meine Tapfern, deren leuchtende Augen schon vor der Schlacht mir Glück wünschten zu dem kommenden Siege? Der Tod oder der Verrath hat sie von meiner Seite genommen. Mein edler, treuer Duroc, mein braver Lannes sind ins Grab gegangen, Berthier hat mich verrathen und ist entflohen, Augereau auch ist ein Verräther, und er vergißt in seiner neuen Höflingsrolle, daß er einst ein wüthender Republikaner war, und daß ich es bin, der ihn groß gemacht. Macdonald, Oudinot, Marmont, Sebastiani, Maison, St. Cyr, Lauriston, sie Alle haben den Feldherrn verlassen, der sie einst zu so vielen Siegen geführt und dem sie ihren Titel und ihre Ehren verdanken. Massena ist alt geworden, und ich darf ihm kein Commando mehr übertragen. Soult, Ney und Davoust, das sind die einzigen Marschälle, die mir geblieben. Aber darf ich auf sie rechnen und ihnen vertrauen? Soult ist zu mir zurückgekehrt, nachdem er noch einige Tage vorher in einer Proclamation an die Armee von mir wie von einem Banditen und Verbrecher, auf den man fahnden müsse, gesprochen hatte. Er dient mir jetzt, wie er vor mir dem König Ludwig gedient hat, und wie er, wenn ich scheitere, meinem Nachfolger dienen wird, nicht aus Neigung und Treue, sondern weil ich der Machtgeber bin und weil es klüger und vortheilhafter ist, mit dem Sieger zu bleiben, als mit dem Besiegten zu entfliehen. — Ney ist seiner alten Liebe zu mir gefolgt, und er ist da, weil er dem Ruf seines alten Feldherrn nicht zu widerstehen vermochte. Aber er zürnt fast seinem Herzen, daß es seinen Kopf überflügelt hat, er nennt seine Treue gegen mich Verrath gegen die Bourbonen und ist mit sich selber in Zwiespalt. Davoust ist mir auch noch geblieben, aber ich muß ihn als meinen Kriegsminister zurücklassen. — Und so ziehe ich aus mit nur zweien meiner alten Marschälle und sonst mit lauter jüngern Generälen, deren Fähigkeiten ich kaum kenne und denen ich zum Theil mißtraue. Vor allen Dingen aber traue ich dem General Bourmont nicht. Er ist immer ein zweideutiger Charakter gewesen, immer nur auf seinen Vortheil bedacht, er wird mich verrathen, wenn es seinem Vortheil angemessen erscheint.

Sire, sagte Caulaincourt, die Marschälle Ney und Soult haben für seine Treue gut gesagt.

Ja, rief Napoleon, sie haben das gethan, die beiden Herren Marschälle. Aber wer sagt mir für ihre Treue gut? Ach, wenn ich Eugène Beauharnais noch bei mir hätte, Eugène, den ich mir zum Feldherrn erzogen, den ich zu meinem Sohn angenommen habe, und der jetzt bei meinen Feinden lebt, während ich — doch still, es nützt nichts, über das Unabwendbare zu klagen. Ich gedenke der Abwesenden, aber sie gedenken Meiner nicht mehr!

Aber, mein Bruder, bat Lucian, wenn Einer von den Abwesenden zu Ihnen zurückkehrt, so sollten Sie ihn willkommen heißen und ihm die Hand zur Versöhnung darreichen. Ich wage es noch einmal, für Murat zu bitten. Er kommt reuevoll zurück, und er vermag Ew. Majestät nützlich zu sein.

Nein, nichts mehr von Murat, rief Napoleon heftig. Das Unglück hat ihn gezeichnet und zieht ihn zu sich, ich will meinen wankenden Thron nicht von der Hand eines entthronten Königs stützen lassen. Nichts mehr von diesem einstigen Freund, der in der Stunde der Noth sich zu meinem Feind erklärt hat.

Sire, sagte Caulaincourt, so erlauben Sie mir,

Ihnen dagegen von einem Feinde zu sprechen, der in der Stunde der Noth sich zu Ihrem Freund erklärt hat, das heißt, in der Stunde der Noth, die ihn bedrohte! Sire, trauen Sie Fouché nicht. Er ist ein gefährlicher und böser Feind, und er sinnt auf Ihr Verderben.

Mein Bruder, rief Lucian, ich wage es, meine Bitten mit denen des Herzogs von Vicenza zu vereinigen. Lassen Sie nicht hier in Ihrem Rücken einen Feind zurück, der um so gefährlicher ist, da Sie ihm die Mittel in die Hände gegeben, durch welche man sonst die Verdächtigen überwacht und entfernt. Fouché darf nicht der Chef der Polizei bleiben, denn diese gerade giebt ihm die Gewalt, Ihnen im Innern Frankreichs mehr zu schaden, als ein feindliches Heer außerhalb Frankreichs Ihnen gefährlich sein kann.

Sire, sagte Caulaincourt, ich klage vor Ew. Majestät den Herzog von Otranto des Verrathes an, des heimlichen Verkehrs mit Ihren Feinden, der Intriguen mit Gent, des Bestrebens, die Bourbonen wieder auf den Thron von Frankreich zurückzuführen. Möge es Ew. Majestät gefallen, meine Anklage anzunehmen, und des Verräthers sich zu bemächtigen.

Ja, Fouché ist ein Verräther, rief Lucian, er ist es, der durch seine Emissaire die Provinzen zum Aufstand reizt, der die Stimmung der Bevölkerung von Paris gegen Sie zu wenden sucht. Gleich dem Herzog trage ich auf die sofortige Verhaftung Fouché's an, beschwöre ich Ew. Majestät, sich dieses gefährlichen Feindes zu versichern, und ihn zu verhindern, seine verrätherischen Intriguen noch weiter auszudehnen! Sire, er ist ein Verschwörer, möge der Rebell mit seinem Leben seinen Verrath büßen!

Napoleon antwortete nicht sogleich. Er ging, die Hände auf dem Rücken gefaltet, langsam einige Male auf und ab. Die Gesichter Lucian's und Caulaincourt's waren mit einem Ausdruck flehender Angst und Erwartung ihm zugewendet, und als der Kaiser jetzt still stand, und seine flammenden Blicke auf sie richtete, hämmerte ihr Herz mit fieberhaften Schlägen in ihrer Brust, und sie hielten den Athem an vor Ungeduld und Erregung.

Nein, sagte Napoleon langsam, nein! Wozu könnte das Blut dieses Menschen mir nützen, wenn ich bei meinem Unternehmen unterliegen sollte? Aber derselbe Courier, der die Nachricht von der Niederlage der Engländer und Preußen nach Paris bringt, wird auch den Befehl zur Hinrichtung Fouché's überbringen.*) Habe

*) Napoleons eigene Worte. Siehe: Eduard Arnd. Geschichte der letzten vierzig Jahre. I. 139.

ich erst den Feind da außen bezwungen, so mögen meine Feinde im Innern Frankreichs zittern. Ich werde sie unter meinen Füßen zertreten. Zwei große Siege und Frankreich beugt sich in Gehorsam vor seinem Kaiser! Daran gedenkt, meine Freunde, und zagt nicht! In einer Stunde reise ich zur Armee ab, mit mir reist das Glück der Zukunft, oder das Verderben!

V.

Die Schlacht bei Ligny.

Napoleon hatte wohl Recht gehabt, dem General Bourmont nicht zu trauen, und von ihm einen Verrath zu befürchten. Das Heer hatte kaum am vierzehnten Juni die französische Grenze überschritten, und war in Belgien eingerückt, als der General Bourmont das französische Heer verließ, und sich zu den Preußen begab, um dem Feldmarschall Fürsten Blücher Napoleons Plan zu einem raschen Angriff der Preußen zu verrathen.

Der alte Feldherr jauchzte dieser Nachricht entgegen wie einer Verkündigung nahenden Glückes. Seine Eilboten flogen nach allen Richtungen und zu allen preußischen Heerestheilen hin, um den Truppen den Befehl zu bringen, daß sie auf ihre verschiedenen Sammelorte rücken und sich zur Schlacht bereit halten sollten.

Hinter dem Dorfe Ligny stand Blücher mit der Hauptmacht seines Heeres, des Heranrückens Napoleons gewärtig und ganz bereit, den Kampf anzunehmen. Alle Anordnungen waren beendet, alle Truppen hatten ihre angewiesene Stellung eingenommen, Alles war schlachtbereit, kampfgerüstet.

Vor allen Dingen aber war Blücher schlachtbereit und kampfgerüstet. Dort auf der Höhe hinter Ligny hielt er auf seinem Schimmel, umgeben von seinen Generälen und Adjutanten. Es war immer noch derselbe heitere freudige Ausdruck in seinen Zügen; das Jahr, das seit der Einnahme von Paris, seit Blüchers großen Triumphen und Siegen vergangen war, hatte auf seinem Antlitz keine Spur zurückgelassen, sein Auge glänzte noch immer im Feuer der Jugend, seine Stimme war noch ebenso frisch, sein Herz noch ebenso muthvoll und unverzagt.

Sein glänzender Blick schweifte umher an dem Horizont und spähete hinüber nach dem heranziehenden Feinde, den jetzt freilich auch das schärfste Fernrohr nicht zu erspähen vermochte, dessen Annäherung man aber inne ward an dem Donner der Kanonen, der in ununterbrochener Macht immerfort daherrollte und verkündete, daß der Feind schon mit irgend einer Abtheilung des preußischen oder englischen Heeres im Kampf begriffen sei.

Es ist auf dem rechten Flügel, sagte Blücher, der lange stumm hinübergehorcht hatte nach dem Kanonendonner, ja, es ist auf unserm rechten Flügel, wo Zieten steht. Er bedarf Hülfe und wir müssen sie ihm bringen.

Und in seiner raschen entschiedenen Weise ertheilte er seine Befehle, gab er seinen Generälen und Adjutanten ihre Weisungen. Sie sprengten von dannen und Blücher blieb jetzt allein mit seinem Generalquartiermeister, seinem getreuen Freund Gneisenau. Unfern von Beiden befand sich noch ein anderer Getreuer; er saß auf einem stattlichen Pferd und trug die einfache Uniform eines gemeinen Husaren; vor ihm auf dem Sattelknopf stand ein länglicher eiserner Kasten, und aus demselben hatte er eben eine kurze weiße Thonpfeife genommen, die er jetzt in Brand setzte und von deren Wohlbefinden er sich mit zärtlichster Sorgfalt zu überzeugen suchte. Zuweilen nur hob er die kleinen hellblauen Augen empor und richtete den gutmüthigen Blick hinüber zu den beiden Herren, die da vor ihm hielten und in lebhaftem Gespräch begriffen waren.

Na, das scheint heute wieder 'ne gute Wirthschaft zu sind, brummte er leise vor sich hin. Nich mal an seinen Stummel denkt er heut wieder und Augen macht er, als wollt er sie gleich zu Kohlen gebrauchen und den Toback damit in Brand stecken. Muß doch 'n bisken näher reiten und zuhören, was sie Beide nu wieder sprechen, ob was los werden soll. Ich weiß, was ich der Male, — ne, der Frau Fürstin Blücher wollt ich sagen, versprochen habe und ich will Wort halten.

Er gab seinem Pferde einen wohlgeführten Stoß in die Weichen und ließ es vorwärts traben.

Na, nu wird er mich doch wohl hören, brummte er, nu wird er sich doch wohl erinnern, daß Christian da ist, und der Stummel dazu!

Aber Blücher schien sich dessen durchaus nicht zu erinnern, sondern war noch immer eifrig im Gespräch mit seinem Vertrauten begriffen.

Ich denke, sagte der Feldmarschall, die spähenden Blicke noch einmal am Horizont dahin schweifen lassend, ich denke, es ist nun Alles wohl geordnet und wir haben nichts vergessen, Gneisenau?

Nein, Ew. Durchlaucht, wir —

Hören Sie, unterbrach ihn Blücher, indem er seinen langen weißen Schnurrbart durch seine Finger zog, hören Sie mal, Freund, thun Sie mir den einzigen Gefallen und lassen Sie die dumme Titulatur weg.

Für Sie bin ich keine Durchlaucht, das geht Sie rein ganz und gar nichts an, daß mich der König zum Fürsten von Wahlstadt gemacht hat. Er hat's auch man bloß gethan, weil er in mir die Tapferkeit der schlesischen Armee belohnen wollte und weil ich just an der Spitze derselben stehe. Aber Sie haben nicht nöthig, Sich darum zu kümmern; für Sie bin ich man bloß Ihr Freund Blücher, Sie sind mein anderes Ich, und da paßt sich die Durchlaucht nicht. Es wär' grad' so, als wenn meine Male mich Durchlaucht nennen und ihren alten Knasterbart als Fürst tituliren wollt. Das ist gut für die fremden Menschen, aber nicht für Sie und die Male. Na, das habe ich Ihnen bloß sagen wollen und nun sprechen Sie weiter. Wir haben nichts vergessen, nicht wahr?

Nein, Feldmarschall, wir haben nichts vergessen, sagte Gneisenau mit einem zärtlichen Blick auf seinen alten Feldherrn, es ist Alles wohl überlegt und geordnet. Wir haben eine schöne und vortheilhafte Stellung, und diese Höhenzüge hier hinter dem Bache Ligne scheint der liebe Gott eigens für uns geschaffen zu haben. Da drüben weit über Bry hinaus steht unser rechter Flügel unter General von Zieten; der linke Flügel unter General von Thielmann dehnt sich hinunter nach dem

7*

Point du Jour und nach Tongrines, und das Centrum unter General von Pirch steht zwischen Sembref und Bry. Die drei Dörfer hier vor uns, Saint Amand, Ligny und Tongrines haben wir stark besetzt, und wenn Napoleon uns da angreift, wird er es zu büßen haben. Wir sind vierundachtzigtausend Mann stark, und Napoleon rückt, wie General Bourmont uns gesagt hat, nur mit fünfundsiebenzigtausend Mann gegen uns heran. Die andern Heeresabtheilungen bleiben stehen, um die Engländer zu bewachen.

Aber sie werden die Engländer hoffentlich doch nicht hindern, uns, wenn's Noth thut, zur Hülfe herbeizueilen? Wellington hat mir versprochen, daß bis heute Mittag um zwei Uhr zwanzigtausend Mann seiner Truppen bei uns anlangen sollen. Sie glauben doch, daß er Wort halten kann?

Ich bin davon überzeugt, Feldmarschall. Er wird, wie Sie ihn gebeten haben, seine Truppen über Quatre-Bras anmarschiren lassen, und wenn diese auch erst um vier Uhr hier anlangen, so ist es immer noch zeitig genug.

Na, also in Gottes Namen denn, so will ich die Schlacht annehmen, wenn der Bonaparte sie mir bietet, sagte Blücher vergnügt. Er hat keinen Pardon annehmen wollen vom Schicksal, ist's nicht zufrieden gewesen, daß es ihm die Insel Elba aus übermäßiger Gnade gelassen hat, damit er dort noch'n bischen Kaiser spielen könnt. Dafür wird ihn das Schicksal aber nun auch abstrafen, und nicht 'nen Fetzen vom Kaiserthum soll noch an ihm bleiben. Ich dank's dem lieben Gott, dank's ihm von ganzem Herzen, daß er mich hat leben lassen bis auf diesen Tag, und daß ich noch kein alter wacklicher Greis geworden bin, der kein Schwert mehr halten kann. Gneisenau, es geht nun wieder los, und dies Mal, so wahr ein Gott über mir ist, dies Mal lege ich's Schwert nicht eher wieder hin, als bis wir ihn für immer eingefangen haben!

Und mein tapferer Feldmarschall wird sein Wort halten, wie er es vor einem Jahr gethan hat!

Ja, ich habe wohl mein Wort erfüllt, sagte Blücher gedankenvoll, und wir haben Paris erobert, und haben ihn runter gekriegt von seinem Thron, den Bonaparte. Aber nachher sind die Federfuchser und die Trübsalsspritzen gekommen und die Herren mit den Manschetten, die sich Diplomaten nennen und so überklug sind, die haben Alles wieder zu Schanden gemacht. Ich will Ihnen was sagen, Gneisenau, ich denk' immer, unsere Königin Louise die hat den lieben Gott gebeten, daß er ein

Einsehen hat und ein Machtwort spricht, damit der Congreß, den die Federfuchser in Wien abhielten, endlich ein Ende nähme. Und weil der liebe Gott seit zwanzig Jahren immer, wenn er die Völker und die Großen für ihre Fehler und Sünden abstrafen wollte, sich den Bonaparte als Geißel für die Strafbaren nahm, so hat er ihn sich auch dies Mal wieder von Elba herüber gelangt und hat ihn hin und her geschwenkt, damit alle die weisen Herren Diplomaten von Wien Reißaus nähmen. Gneisenau, es war ein jammervolles Ding dieser Congreß in Wien, und das Herz that Einem weh, wenn man hörte und sah, wie's da zuging. Gered't und geschrieben haben sie genug, aber es kam nichts zu Stande, und sie zankten sich blos hin und her um Länder und Unterthanen, und das Haben und Besitzen und das Mein und Dein, das war ihnen Allen die Hauptsache. Ich weiß nicht, ich mag auch wohl gern haben und besitzen, und wenn ich am Spieltisch so'n paar tausend Louisd'or gewinne, so lacht mir's alte Herz im Leibe. Aber um was es sich da handelt, und um was wir da würfeln und streiten, das sind doch man blos eben Goldfüchse und keine Menschen. In Wien haben sie aber um Menschen gewürfelt und gestritten, als wenn's Goldfüchse wären und als ob die Völker blos darum ihr Hab und Gut, ihr Blut und Leben geopfert hätten, um dafür links und rechts, an diesen oder jenen großen Herrn, den die Lust kitzelte, noch'n paar tausend Unterthanen mehr zu regieren, verschenkt zu werden. Ich mein' aber, Gneisenau, die Völker sollten für die Fürsten keine Goldfüchse sein, um die sie würfeln, spielen und streiten, sondern die Fürsten hätten daran denken sollen, wie groß, tapfer und opferbereit sich ihre Völker bewiesen haben, und sie hätten vor allen Dingen sich dafür dankbar zeigen und darauf bedacht sein sollen, ihre Völker glücklich zu machen.

Nun, zuletzt haben sie ja in Wien noch daran gedacht, sagte Gneisenau. Zuletzt, als wieder Gefahr drohete, da haben ja alle deutschen Fürsten an ihre Völker gedacht und haben ihnen allen gar köstliche Geschenke gemacht.

Ah, Sie meinen die Verordnungen und Versprechungen? Die Geschichte von den Landständen und Constitutionen, welche die Fürsten versprochen haben?

Ja, die meine ich! Und ich denke, das edle und tapfere preußische Volk wird zufrieden sein mit dem Dank seines Königs. Er hat ihm feierlich versprochen und zugesagt, daß eine Repräsentation des Volks gebildet werden soll. Er hat gelobt, daß eine Landes-

Repräsentation gebildet werden soll, die in Berlin ihren Sitz hat, welche die Befugniß und das Recht haben soll, über alle Gegenstände der Gesetzgebung zu berathen, welche die persönlichen und Eigenthumsrechte der Staatsbürger, mit Einschluß der Besteuerung, betreffen.*) Es ist ein großes Geschenk, welches der König Friedrich Wilhelm seinem Volk verkündet hat, er will ihm eine Constitution geben, er will seine Unterthanen zu seinen Staatsbürgern erheben. Meinen Sie nicht, daß damit das Volk für seine Heldenthaten und sein vergossenes Blut königlich belohnt wird?

Na, das versteh' ich nicht, Gneisenau, sagte Blücher achselzuckend, das sind so moderne Ansichten und Phrasen, die nicht recht in meinen alten Kopf rein wollen. Constitution, freie Staatsbürger, ach ja, es klingt recht hübsch. Aber wissen Sie, wie mir Eure moderne sogenannte constitutionelle Freiheit vorkommt? Es ist grade so, wenn man einem Jagdhund, der's Edelwild gut gejagt hat, zur Belohnung wollt' Butter auf die Nase schmieren. Es riecht dem armen Kerl gar vortrefflich zu, und er streckt die Zunge darnach aus, und möcht's lecken, aber es geht nicht, er kann mit seiner Zunge nicht 'ran an

*) Pertz VI. S. 430.

die Nase, und leckt und leckt, und kriegt von seiner Belohnung doch nichts in den Mund. Sehen Sie, Freund, just so kommt's mir vor mit der constitutionellen Freiheit der Völker. Es ist auch man bloß Butter, die ihnen auf die Nase geschmiert wird, aber in den Magen kriegen sie rein gar nichts davon, und zu Tode hungern können sie sich auch dabei. Man bloß'ne Redensart ist's mit so'ner Constitution, und noch schlimmer ist's, wenn's keine Redensart ist, und wenn die Unterthanen solche großmäulige scheinrednerische Kerls werden, wie ich sie in England im Unterhause gesehen habe, solche langnasigen Kerls, die morgens Dütchen drehen und Lichter ziehen, und Abends so klug und gelehrt thun, und meinen, sie wären dazu da Gesetze zu geben und die Volksbeglückung zu erfinden! Nein, nein, verschont mich mit Eurer constitutionellen Freiheit, gebt den guten treuen Völkern eine ordentliche, aus weisen und ehrlichen Männern zusammengesetzte Regierung, verringert so viel als möglich ihre Abgaben und Steuern, seid ihnen väterliche, liebevolle, sparsame und genereuse Fürsten, und haltet ihnen ein tapferes und tüchtiges Heer, das sie vor Feinden von Außen beschützt. Meinen Sie nicht, Freund, daß die Völker sehr glücklich sein würden, wenn sie das Alles hätten?

Ja gewiß, Feldmarschall, das meine ich, sagte Gneisenau lächelnd. Aber alle diese Dinge werden ihnen eben durch die Constitution, die Verfassung, gesichert.

Na, meinetwegen, rief Blücher, wir wollen uns nicht darüber streiten, sondern von der Constitution sagen, was mein weiser Pipenmeister immer von streitigen Dingen zu sagen pflegte: „wer't mag, de mag't, un wer't nich mag, de mag't ja woll nich mögen."*) Aber hören Sie nur, Gneisenau, der Kanonendonner kommt näher und näher, und — hurrah, hurrah, sehen Sie da hinten, da drüben am Horizont, sehen Sie da den dunkeln Streifen, Gneisenau?

Ich seh's, Feldmarschall, es bewegt sich vorwärts.

Das sind die Franzosen! rief Blücher jubelnd. Sie kommen, sie kommen, das wird nun wieder los gehen. Na, du lieber Gott da droben, nun sei so gut und hilf uns, und denk daran, daß wir siegen müssen, daß es 'ne Ehrensache von ganz Europa ist, den Kerl, den Bonaparte, endlich zu vernichten, und denk' auch daran, lieber Gott, daß ich doch wahr und wahrhaftig nicht eher sterben kann, als bis ich meinen Schwur erfüllt,

---

*) Wer's mag, der mag's und wer's nicht mag, der mag's ja wohl nicht mögen. Plattdeutsche Redensart.

den Bonaparte klein gekriegt, und mein liebes Deutschland wieder in Ehren und Freiheit dasteht, daß ich nicht eher die Augen schließen kann, als bis das geschehen ist, und daß meine alten Augen doch schon recht müde sind, und ich mich oft recht sehnte, bei Dir im Himmel zu sein. Aber jetzt geht's nicht, nein, jetzt nicht. Ich hab' hier unten noch tüchtig was zu thun, noch schwere Arbeit zu Stande zu bringen, hilf mir also ein bischen, mein Gott, und Du, meine edle, schöne Königin Louise, Du bete für mich und Deine Preußen! — Es geht los, hurrah, es geht los! Gneisenau, kommen Sie mal her, mein altes Herz ist so glücklich, und darum hab' ich Sie so lieb, und ich muß Ihnen einen Kuß geben zum Abschied für heute!

Er neigte sich über sein Pferd herüber nach Gneisenau, der dicht an seiner Seite hielt, und mit der Zärtlichkeit und der Ehrerbietung eines Sohnes ihn anschaute. Einen schallenden, lauten Kuß drückte der alte Blücher auf die Lippen seines Gneisenau, und einen Moment schlang er seinen Arm um des Generals Nacken.

Dann sprengte er lachend vorwärts seinen Adjutanten entgegen, welche kamen, ihm das Anrücken des Feindes zu verkünden.

Nun ward es lebhaft überall, der Kanonendonner

rollte näher und näher, und der schwarze Streifen, den Blücher zuerst da drüben am Horizont gewahrt hatte, er ward jetzt zu einer schillernden, glitzernden Wolke, die wie auf den Flügeln des donnernden Sturmes heranzubrausen schien.

Die Regimenter stellten sich in Schlachtordnung, die Ordonnanzen flogen hierhin und dorthin, die Trompeten schmetterten, die Trommeln wirbelten. Blücher, umgeben jetzt wieder von seinen Adjutanten, hielt auf dem Hügel hinter dem Dorfe Ligny, und musterte mit freudestrahlendem Angesicht seine Armee, die in wundervoller Haltung und Ordnung das weite Feld überdeckte, und schaute hinüber nach dem Feind, der immer näher heran zog.

Herr Pipenmeister, rief er jetzt, Pipenmeister, meinen Stummel her!

Christian Hennemann, der Pipenmeister, hatte lange schon den dampfenden Stummel in Bereitschaft gehalten und sprengte jetzt eilfertig heran.

Dacht' schon, Sie hätten mich ganz und gar vergessen, brummte er, indem er seinem Feldmarschall die Pfeife darreichte. Hier ist sie, und hatte gute Luft, brennt so schön, daß Sie immer dabei commandiren können, sie wird nicht ausgehen. Aber ich möcht' Ew.

Durchlaucht, eh's nu los geht, gern noch'n wichtiges Wort sagen, und geheim muß es sein, denn was ich zu sagen hab', das is was von der Frau Fürstin Male.

Na, denn sprich mal, Pipenmeister, sagte Blücher, einige Schritte vorwärts reitend. Was hast Du zu sagen?

Blos das, Durchlaucht, daß Sie Sich heute nich dürfen einfallen lassen, wieder wie vor'n Jahr bei La Rothière selber mit in's Gefecht zu gehen und selber mit drein hauen zu wollen.

Ih, seh mal, sagte Blücher, das soll ich mir nicht einfallen lassen? Wer will's mir denn verbieten?

Die Frau Fürstin Male und ich. Sie hat mir befohlen, daß ich, so oft es nu hier zu 'ner Schlacht kommt, jedes Mal soll ihren lieben, guten Fürsten Blücher von ihr bitten, daß er sich vernünftig und anständig beträgt, nicht wie'n gemeiner Husar selbst kämpft und in's Feuer geht, sondern wie'n vornehmer Feldherr man blos von fern hält und die Schlacht mit ansieht, Hurrah brüllt, wenn seine Armee siegt, und mit fortläuft, wenn sie besiegt wird. So soll'n Sie's machen, läßt Ihnen die Frau Fürstin sagen, und ich hab' ihr versprochen, daß ich Sie bitten will, es zu thun, und daß, wenn's Bitten nicht hilft, ich Sie zwingen will, es zu thun.

Zwingen, Christian? fragte Blücher, eine große blaue Wolke aus seiner Pfeife hervorblasend. Na, sag' mir mal blos, Du Knirps, wie Du's machen willst, den Feldmarschall Blücher zu zwingen, daß er nicht in den Kampf geht, wenn er doch will?

Ich werd' ihm immer zurufen: Herr Fürst Blücher, 'n schlechter Kerl, der nicht Wort hält, und Sie haben der Male, — der Fürstin Male, wollt' ich sagen, feierlich versprochen, daß Sie vernünftig sein und nicht selbst mit drein hauen wollen. Na, und wenn das nicht hilft, und Sie so'n schlechter Kerl sein wollen, denn werd' ich mit meinem Pferd quer vor Ihren Weg reiten, und Sie müssen mich denn erst in Stücke hauen, ehe ich Sie vorwärts lasse.

Na, und dann werde ich Dich in Stücke hauen, rief Blücher halb belustigt, halb erzürnt.

Thun Sie's, wenn Sie glauben, daß Sie gleich wieder 'n guten Pipenmeister bekommen können, sagte Christian Hennemann gelassen. Ich hab' Ihnen nann gesagt, was ich zu sagen hab', und was ich der Fürstin versprochen hatt' zu sagen. Sie werden nu wissen, Durchlaucht, was Sie zu thun haben, und es kann nu losgehen!

Wahr ist es, brummte Blücher, als er wieder sein

Pferd vorwärts lenkte, seinem Generalstab zu, wahr ist es, versprochen hab' ich der Male, daß ich in diesem Feldzug nicht selbst mit drein hauen und kämpfen wollt', und wenn es irgend geht, will ich auch Wort halten, aber —

Eine Ordonnanz flog heran, und meldete vom rechten Flügel vom General Zieten her, daß der Feind ihn hart bedrohe, und er Unterstützung begehren müsse.

Eine zweite Ordonnanz kam herangesprengt.

General Vandamme mit seinen Truppen ist vorgedrungen bis zum Dorf Saint-Amand, er hat die Preußen zurückgeworfen, er hat sich des Theils von dem Dorf, das drüben jenseits des Baches liegt, schon bemächtigt.

Aber sieh, da rücken sie im Sturmschritt heran auf das Dorf Ligny, da kommen sie, die Franzosen!

Nun schmettern die Fanfaren, nun öffnen die Kanonen ihre Feuerschlünde, nun knattern die Musketen.

Die Schlacht hat begonnen, und um den Besitz des Dorfes Ligny erhebt sich der wüthende Kampf.

Fest wie eine Mauer stehen die Preußen, wie ein heulender Sturmwind stürmen die Franzosen heran. Die Erde bebt von dem Krachen der Schüsse, die aus zweihundert Kanonen abgefeuert werden, und bald die

Luft mit bläulichen Wolken verdicken. Durch diese zitternden Nebelschichten sieht man den in immer dichteren Massen heranstürmenden Feind, hört man das wüthende Geschrei der Kämpfenden, das Geheul der Verwundeten.

Vorwärts, Kinder, vorwärts, ruft Blücher's machtvolle Stimme, wir müssen die Franzosen verjagen! Wir müssen was gethan haben, wenn die Engländer kommen!*)

Aber wo bleiben die Engländer? Wo sind sie? Die Preußen bedürfen ihrer Hülfe. Vandamme mit seinen Truppen hat schon die Preußen aus Saint-Amand vertrieben, der General Gérard mit seiner Heeresabtheilung stürmt mit immer neuen Kriegermassen auf das Dorf Ligny ein.

Wo bleiben die Engländer, Gneisenau? ruft Blücher verzweiflungsvoll. Sie wollten um zwei Uhr hier sein, und jetzt ist es schon fünf Uhr! Wo bleiben die Engländer?

Eine neue furchtbare Salve aus den Geschützen übertönte die Antwort Gneisenau's; immer heftiger wüthet der Kampf. Die Preußen weichen, der Zuruf ihres Feldherrn treibt sie wieder vorwärts.

---

*) Blüchers eigene Worte.

Wir müssen Ligny halten, bis die Engländer kommen, und die werden bald hier sein, meine Jungens! Also vorwärts, meine Kinder, vorwärts. Ihr werdet doch die Schande nicht erleben wollen, daß wir den Franzosen das Dorf lassen, und die Engländer es uns wieder erobern müssen? Vorwärts! Vorwärts!

Und vorwärts stürmen die Preußen mit lautem Kriegsgeschrei, aber vorwärts auch stürmen die Franzosen. Mann gegen Mann kämpfen die Feinde, keuchend vor Anstrengung, sich anschauend mit wuthblitzenden Augen, jauchzend vor Lust, wenn das Blut hervorspritzt aus den Wunden, die sie geschlagen, wenn der Feind tödtlich getroffen zusammensinkt.

Aber die Heeresmacht der Franzosen ist den Preußen überlegen. Wie tapfer sie kämpfen, wie sehr sie die Nähe ihres Feldherrn entflammt, sie vermögen es nicht, vorwärts zu dringen, kaum noch sich zu halten.

Gneisenau, wo bleiben die Engländer? fragt Blücher mit zitternder Stimme.

Durchlaucht, ich habe Officiere abgeschickt, Wellington von dem Gange der Schlacht zu benachrichtigen, ihm zu sagen, daß wir dringend seiner Hülfe bedürfen. Sie müssen bald zurückkehren.

Die Engländer müßten lange schon hier sein, seufzt Blücher. Es ist sechs Uhr!

Da sprengen die ausgeschickten Offiziere wieder heran, sie bringen Kunde von den Engländern.

Wellington kann nicht kommen, er selber ist bei Quatre-Bras heftig angegriffen; statt Blücher zu Hülfe zu eilen, muß er selber einen Kampf bestehen.

Nun, dann müssen wir auf die Hülfe der Engländer verzichten, ruft Blücher. Aber wo bleibt unser vierter Heertheil? Wo bleibt Bülow mit seinen frischen Truppen? Wenn nur der Bülow jetzt kommt, kann noch Alles gut gehen, auch ohne die Engländer.

Aber Bülow kommt nicht, und immer mehr erlahmt die Kraft der Preußen, die bei Ligny dastehen im mörderischen Gefecht.

Keine Hülfe naht, weder Wellington noch Bülow kommen.

Mit immer neuen Verstärkungen rückt der Feind heran auf Ligny. Jetzt haben die Franzosen schon den Uebergang über den Bach erkämpft, jetzt ziehen sie jauchzend heran. Zehn Kanonen schon haben sie über den Bach gebracht, und jetzt donnern diese Kanonen hinter dem Rücken der Preußen ihre Todesgrüße daher, jetzt stürmen zwei Bataillone der französischen Garde, sechszehn Schwadronen schwerer französischer Reiterei die Höhen zwischen Bry und Sembref heran, den Preußen in den Rücken.

Aber Blücher sieht es und sein Auge blitzt höher auf, und er zieht den Degen aus der Scheide und schwingt ihn hoch empor über seinem Haupt.

Auf, vorwärts, meine Kinder! Zu mir her, Soldaten!

Die Reiter folgen dem Schlachtenruf ihres Feldherrn, sie sprengen zu ihm heran, die Bataillone formiren sich und schaaren sich um den Marschall Vorwärts, den Schlachtengewinner.

Hoch schwingt er den Säbel und ruft: Vorwärts! Dem Feind entgegen!

Was stellt sich ihm da entgegen auf seinem Wege? Was hemmt sein Vorwärtssprengen? Blücher sieht es kaum, oder nur wie durch eine Wolke meint er da quer vor sich ein Pferd zu sehen und ein paar blitzende Menschenaugen. Er schwingt seinen Degen und haut darauf ein, und die Wolke zerstiebt, sieht noch aus wie ein bäumendes sich überschlagendes Pferd und rauscht zur Seite.

Der Weg ist frei! Vorwärts jetzt! Vorwärts!

Da stehen die feindlichen Kürassiere — gegen sie

8*

an. sprengt der Blücher mit seiner Reiterei. Er, der Held, immer voraus, nicht hinter sich schauend, nur vorwärts das Auge gerichtet, dem Feinde entgegen. Was kümmert es ihn, daß seine Soldaten noch nicht dicht hinter ihm sind, daß nur sein erster Adjutant, Graf Nostitz, an seiner Seite ist. Er sieht nur den Feind und er sprengt vorwärts.

Die Kanonenkugeln sausen um ihn her, die Kartätschen knattern, vergebens sprengt die preußische Reiterei gegen die französischen Kürassiere an; wie eine Mauer stehen sie da in geschlossenen Reihen, empfangen sie den Angriff und feuern ihre Karabiner ab, Tod und Verderben in die Reihen der Preußen schmetternd.

Und die Preußen weichen. Der übermächtig vordringende Feind jagt sie zurück.

Die Preußen weichen, und Blücher, welcher der Erste war im Vorrücken, ist jetzt der Letzte im Weichen. Hinter seinen retirirenden Schaaren reitet er dahin, ihm zur Seite sein Adjutant. Mit lautem Siegesgeschrei stürmen die französischen Kürassiere den Weichenden nach.

Eine Kugel saust, dicht an dem Ohr Blücher's pfeift sie vorüber, sein Schimmel wiehert auf, bäumt sich empor, und fliegt dann vorwärts wie ein abgeschossener Pfeil. Nur mühsam hielt sich Nostitz seinem Feldherrn zur Seite.

Plötzlich steht der Schimmel still, — schon hört man wieder dort näher heranbrausend die Hufesschläge der feindlichen Reiter.

Nostitz, ruft Blücher entsetzt, ich bin verloren!

Sein Pferd bricht zusammen, stürzt nieder zur Erde, zieht seinen Reiter mit sich! Schwer fällt das Haupt Blüchers auf den Boden nieder, halb bedeckt von der Leiche des Pferdes ist seine Gestalt.

Graf Nostitz springt vom Pferde, er beugt sich nieder zu dem Feldherrn, er will ihn hervorziehen unter dem Pferde. Vergebens, Blücher ist betäubt, halb von Entsetzen, halb von der Erschütterung des schweren Falls. Wie eine Centnerlast liegt das todte Pferd auf seinen Gliedern.

Aber jetzt schlägt er die Augen auf, jetzt sieht er es unweit von sich wie eine Schaar Raubvögel heranbrausen.

Das ist der Feind, der Feind, ich bin verloren!

Graf Nostitz zieht den Degen und stellt sich vor dem hingestreckten Helden hin, mit flammenden Blicken den Heranstürmenden entgegen schauend, fest entschlossen, mit dem letzten Tropfen Blut den Feldherrn zu vertheidigen.

Sie stürmen heran, die siegesjauchzenden Kürassiere. Nostitz faßt sein Schwert fester — aber was kümmert die Sieger, welche den Feind verfolgen, die einzelne kleine Gruppe, die am Wege liegt? Was kümmert sie das todte Pferd mit dem unter demselben begrabenen Reiter und der verwundete Soldat daneben?

Sie stürmen vorüber dem fliehenden Feinde nach.

Aber die Preußen haben sich wieder gesammelt, sie wenden sich den Heranstürmenden zu, sie wollen nicht fliehen! Sie dringen vorwärts mit lautem Wuthgeschrei.

Und die französischen Kürassiere, überrascht von dem unvermutheten Angriff, weichen zurück, die Preußen dringen ihnen nach.

Zum zweiten Male kommen jetzt die feindlichen Schaaren daher zu der Gruppe, die da zur Seite des Weges sich befindet, zu dem todten Pferde mit dem Reiter unter ihm und der Schildwacht daneben. Aber zum zweiten Mal stürmen sie vorüber, vorüber, und die Preußen folgen ihnen nach.

Nun, mein Feldherr, nun rasch! ruft Nostitz. He, Uhlan, rasch hieher. Ein Pferd für den Feldmarschall!

Ein Uhlan sprengt heran und schwingt sich vom Pferde, und hilft dem Grafen Nostitz, den Feldmarschall unter dem todten Pferde hervorzuziehen.

Ihr müßt mich auf's Pferd heben, seufzte Blücher, ich kann nicht, alle Glieder sind zerquetscht.

Der Uhlan faßt ihn mit kräftigem Arm und hebt ihn auf sein eigenes Pferd und schwingt sich hinter ihm in den Sattel, und Graf Nostitz springt auf sein Pferd.

Vorwärts jetzt! Vorwärts! Zu den Unsern!

Wohl stürmten die feindlichen Kürassiere jetzt wieder vorwärts, wohl gewinnen sie den Boden wieder, den ihnen die Preußen noch einmal wieder streitig gemacht hatten, aber dieser Boden trägt jetzt nicht mehr die kostbare Last, der Heerführer der Preußen liegt mehr da unbeweglich, widerstandlos preisgegeben.

Gott hat ihn behütet, und vielleicht das Gebet seiner Heiligen, seiner Königin Louise ihn errettet, und hat für ihn eine Minute des Beistandes von Gott erfleht.

Diese Eine Minute hat Blücher errettet, sie hat so viel Zeit gewährt, daß man Blücher auf das Pferd heben, und mit ihm fortreiten konnte. Nun ist die Minute vergangen, die siegreichen französischen Kürassiere kommen zurück, sie halten an neben dem todten Pferde, dessen glänzende Schabracke, dessen herrliches goldbeschlagenes Geschirr sie aufmerksam macht*) — aber der Reiter, der zu dem Pferde gehört, der ist nicht mehr da! Der Blücher ist gerettet! —

Ja, Blücher war gerettet, und dennoch war sein Herz trauervoll, aber nicht wegen seines armen zerdrückten, zerquetschten Körpers! Was kümmerten ihn die Schmerzen seiner Glieder, das Hämmern und Dröhnen in seinem Kopf, er dachte nur an die Schmerzen seiner Seele, und diese nur waren es, die ihm Seufzer entlockten, und seine Augen mit einem Etwas befeuchteten, das nicht der vom Himmel herabströmende Regen ihm in die Augen geweht.

Blücher war traurig und litt an unsäglichen Schmerzen, weil er es sich nicht mehr verhehlen konnte, daß der Bonaparte ihm heute eine Schlacht abgewonnen hatte, daß diese Schlacht bei Ligny für die Preußen verloren war!

Ja, sie war verloren, und in wirrer Unordnung stürmten sie durcheinander, nur bedacht, sich zu retten vor dem nachsetzenden Feind.

---

*) Dieses Pferd mit der kostbaren Aufzäumung war ein Geschenk, das Blücher bei seiner Anwesenheit in London 1814 vom Prinz-Regenten erhielt.

Aber der Himmel schien doch den Fliehenden noch ein Bundesgenosse sein zu wollen. Er bedeckte mit Nacht und Dunkelheit die Erde, er ließ schwere Regenwolken sich entladen, die mit ihren vom Winde gepeitschten Wasserströmen die Feinde aufhielten.

Die Nacht und der Regen retteten die Preußen. Sie ordneten sich bald wieder, und in geschlossenen Reihen zogen sie gen Gembloux und Wawre hin, um da Halt zu machen von der furchtbaren Arbeit des Tages.

In einer Bauernhütte in Gembloux ruhte Blücher endlich aus von den Mühsalen und Erregungen des Tages. Um ihn her lagen seine Adjutanten auf dem Stroh gebettet, in tiefen Schlaf versenkt.

Aber Blücher wachte, und er sah, wie die Thür aufging, und wie eine Gestalt, den Arm in der Binde tragend, steif und mühsam hereinschritt. Er sah das blutrünstige und abgeschundene Antlitz, und — jetzt flog ein Lächeln über Blüchers Züge, denn er sah den brennenden Stummel, den jener im Munde hielt.

Christian, Pipenmeister, bist Du's wirklich? rief Blücher freudig. Du lebst also doch?

Na ja, ich bin's, brummte Christian, und ich leb' noch, obwohl ich sagen muß, daß das nicht Ihre

Schuld ist. Haben meinen Braunen ein's über'n Kopf gehauen, daß er gleich zusammenstürzt, und auf mir zu liegen kam, daß mir alle Glieder krachten, und mein linker Arm wie'n Splitter auseinanderbrach. Na, das war'n Schmerz, so unterm todten Pferd zu liegen und still halten zu müssen.

Sei still, Pipenmeister, ich weiß, wie's thut, ich hab' auch drunter gelegen.

Na, das weiß ich, brummte Christian, und darum vergeb' ich Ihnen auch, daß Sie mich bald um's Leben gebracht haben, bloß weil ich that, was mir die Frau Fürstin befohlen. Und nanu sagen Sie mal selbst: Wär's nicht besser, wenn Sie gethan hätten, was Sie der Fürstin versprochen hatten, und wären davon geblieben, und vernünftig und vornehm gewesen?

Ja, freilich wär's besser gewesen, Christian, sagte Blücher kleinlaut.

Na, Durchlaucht, wenn Sie's einsehen, denn ist's schon gut und denn wollen wir nicht weiter davon sprechen. Sie sind ja glücklich unterm Schimmel und ich unterm Braunen rausgekommen, meinen Kasten mit Tobak und Pfeifen, den hab' ich von'n Braunen abgeschnallt, denn habe ich mir 'n anderes Pferd gesucht, hab' mir den Arm verbinden lassen, und da bin ich, und da is nu der Stummel. Nu rauchen Sie, Herr Fürst, rauchen Sie, das vertreibt die Sorgen, und die Schmerzen, und was die Franzosen anbetrifft, na, Sie wissen doch, was die Mecklenburger sagen: „Brüden geht üm! Ut Ticktacken ward Burjacken!“ Na, heut haben die Franzosen uns gebrüdet,*) morgen werden wir sie brüden. Heut haben die Franzosen uns geticktackt, morgen werden wir sie burjacken und ihnen's Leder voll hauen.

Hast Recht, Christian, rief Blücher mit muthiger freudiger Stimme, burjacken wollen wir die Franzosen, und sie sollen uns büßen für ihr Ticktacken.

Eben öffnete sich die Thür, und Gneisenau trat ein, und eilte zu seinem Feldherrn hin, um ihn zu umarmen und mit zärtlicher Theilnahme nach seinen Schmerzen zu fragen.

Na, rief Blücher mit muthig blitzenden Augen, ich lebe noch, und werd' auch die Glieder wieder rühren, und 's Pferd wieder besteigen können, um in die Schlacht zu reiten. Die Glieder krachen und knacken, aber der Kopf ist gesund geblieben, und das Herz sitzt noch auf dem alten Fleck und hat die Courage noch nicht verloren. Schläge haben wir gekriegt, aber dafür wollen

*) geneckt.

wir auch Schläge wieder austheilen und zwar recht gehörige. Wir haben's Capital Schläge auf dem Rücken, wir wollen's den Franzosen aber mit Zinsen zurückerstatten. Dazu gebe uns der liebe Gott seinen Segen!

VI.

Schlacht bei Belle Alliance.

Der Morgen des achtzehnten Juni war angebrochen, und im Heerlager der Preußen herrschte trotz des furchtbaren Unwetters, das seit zwei Tagen wüthete, ein reges, fröhliches Leben. Denn heute, das hatte Blücher in einem Tagesbefehl seiner Armee verkündet, heute am achtzehnten Juni sollten die Preußen ihre Revanche nehmen für die verlorne Schlacht bei Ligny, heute wollten die Preußen und Engländer mit vereinter Macht Napoleon angreifen und ihm eine Schlacht liefern.

Wellington und Blücher hatten Alles dazu verabredet, Alles erwogen und geordnet. Bei Mont-Saint-Jean wollte Wellington, so hatte der Herzog durch seinen Adjutanten dem Fürsten Blücher melden lassen, bei Mont-Saint-Jean wollte er sich aufstellen, und Napoleon zur Schlacht erwarten, wenn Blücher ihm versprechen könne mit zwei preußischen Heertheilen zur Unterstützung spätestens um die Mittagsstunde einzutreffen. Blücher aber hatte dem englischen Feldherrn auf diese Botschaft erwidern lassen, er werde statt mit einem Theil mit seinem ganzen Heer zum achtzehnten Juni über Saint Lambert heranrücken, um mit Wellington vereint die Schlacht zu schlagen.*)

Alles Nähere war dann schriftlich und mündlich verabredet, Patronen und Lebensmittel ausgetheilt worden, und jetzt am Morgen dieses Tages, jetzt war die Stunde gekommen, dem Herzog Wellington sein gegebenes Wort zu erfüllen, jetzt mußte das preußische Heer aufbrechen, um sich mit dem englischen zu vereinen.

Es war indeß noch früh am Morgen, noch eine Stunde vor der zum Aufbruch festgesetzten Zeit. Fürst Blücher hatte sich daher noch nicht von seinem Lager erhoben, er dehnte und streckte noch ein wenig seine armen, geschwollenen, zerquetschten Glieder, und jede Bewegung, jede unvorsichtige Wendung entlockte ihm ein unwillkührliches Aechzen, einen dumpfen Schmerzenslaut.

---

*) Varnhagen v. Ense: Leben des Fürsten v. Wahlstadt. 440.

Ew. Durchlaucht thäten besser, heute im Bett zu bleiben, sagte der Chirurg, der eben eingetreten, und zu dem Lager des Feldherrn hingetreten war.

Besser wär's freilich, wenn Sie das thäten, Herr Durchlaucht, brummte Christian, indem er die Kleider seines Herrn auf den Stühlen bereit legte. Ich weiß wie 'n Menschen zu Muth is, der von 'n todten Pferd beinah zu Tod gequetscht ist, und ich kann sagen, daß ihm schlecht zu Muth ist.

Aber du weißt nicht, Pipenmeister, wie 'n Feldherrn zu Muthe ist, der 'ne Schlacht verloren hat, rief Blücher, ich kann dir aber auch sagen, daß ihm schlecht zu Muth ist, und daß er keine Ruhe und kein Genügen eher hat, als bis er seine Scharte wieder ausgewetzt hat und sich wieder 'ne Schlacht gewonnen hat. Also redt nur kein Wort mehr, sondern kommt her mir beim Aufstehen zu helfen.

Aber bevor Sie aufstehen, Durchlaucht, erlauben Sie mir erst, daß ich Sie einreibe, sagte der Chirurg, indem er sich mit einer Flasche und einem Teller näherte.

Aber Blücher wehrte ihn zurück. Ach was, rief er ungeduldig, noch erst schmieren! Laßt nur sein, ob ich nu heute balsamirt werde, oder unbalsamirt in die andre

Welt gehe, das wird auf eins heraus kommen!*) Und übrigens hilft Eure Schmiererei nicht ein Bischen. Was habt Ihr denn eigentlich für Zeug's da, Chirurgus?

Durchlaucht, es sind Spirituosa. Bloß Rum mit etwas Wachholderbeerbranntwein darunter zur Erwärmung und Stärkung der Glieder.

Na, zeigen Sie mal her Ihre Einreibung!

Blücher nahm die Flasche aus den Händen des Chirurgus, betrachtete ihren Inhalt prüfend gegen das Licht, und als er sich durch das Auge überzeugt, daß dieser Inhalt klar und rein, durch die Nase, daß er wirklich nichts andres sei als Rum mit Wachholderbranntwein versetzt, hob er die Flasche an seine Lippen und that einen langen und herzhaften Zug aus derselben, was der Chirurg mit einem Ausdruck wahren Entsetzens, Christian Hannemann mit einem vergnügten Grinsen gewahrte.

Seht mal, Chirurgus, sagte Blücher dann vollkommen ernsthaft, indem er dem Chirurgus die Flasche wieder darreichte, seht mal, solche Einreibungen müssen inwendig und nicht auswendig angewandt werden, und sie haben nun ganz ihren Zweck erfüllt, sie haben meine

*) Blüchers eigene Worte. Siehe: Varnhagen v. Ense. 447.

Glieder gestärkt und erwärmt. Nun kommt und helft mir aufstehen. Aber faßt mich recht leise an, denn ich sage Euch, meine alten Glieder schmerzen fürchterlich.

Und dabei auf's Pferd steigen und reiten, seufzte Christian, indem er seinem Feldherrn kopfschüttelnd die Stiefeln anzog.

Na, Du brauchst es ja nicht, Christian, brummte Blücher, Du kannst ja zurück bleiben und Dich schmieren lassen.

Denk' gar nicht dran, sagte Christian. Und übrigens, was wollten Sie denn anfangen, Durchlaucht, wenn ich hier bleiben und mich schmieren lassen thät? Ich denk', Sie wollen heut' 'ne Schlacht gewinnen?

Ja, so wahr Gott lebt, das will ich auch!

Na, also! Wie wollten Sie denn das machen, wenn ich nicht bei Ihnen wäre? Es geht doch nu einmal nicht ohne 'ne Pfeife und 'nen rechtschaffenen Stummel. Na, und wer ist denn der Pipenmeister?

Das bist Du, Christian, und Du hast Recht, Du mußt mit, denn meinen Stummel den muß ich haben und ohne den geht's ganz und gar nicht. Und nun rasch angezogen. Da kommen die Generäle schon alle an, ich seh sie hier durch's Fenster. Sputet Euch, damit ich fertig werde und's Pferd besteigen kann!

Einige Minuten später trat Blücher hinaus vor die Hüttenthür, vor welcher sein Generalstab ihn erwartete. Er begrüßte die Herren mit freundlichem Kopfnicken und hob dann den raschen leuchtenden Blick zum Himmel empor. Wie eine einzige stahlgraue Fläche war der ganze Horizont anzuschauen, und aus dieser Fläche stürzte in ununterbrochener gleichmäßiger Folge der Regen in dicken gewaltigen Strömen nieder.

Schauen Sie die ungeheuren Regenmassen da droben, die noch alle heute herniederfallen wollen auf die Erde, sagte Blücher lächelnd zu seinen Adjutanten. Das sind unsere Alliirten von der Katzbach und die sparen dem König wieder viel Pulver.*)

Er bestieg jetzt, nicht achtend der furchtbaren Schmerzen, sein Pferd, und damit war das Signal zum Aufbruch gegeben.

Das preußische Heer also setzte sich in Bewegung, trotz des strömenden Regens, der den Boden aufgeweicht hatte, daß er wie eine schlammige Masse unter den Füßen der Soldaten, den Hufen der Pferde fortglitt, und Mann und Roß bei jedem Schritt in tiefe, vom Regen angefüllte Versenkungen treten ließ.

---

*) Blüchers eigene Worte. Siehe: Ebendaselbst.

Vorwärts mußte man, denn Wellington erwartete die versprochene Hülfe, und man hörte schon in der Ferne das Donnern der Kanonen, welches verkündete, daß die Schlacht schon begonnen hatte.

Vorwärts also, vorwärts!

Aber immer undurchdringlicher wurden die Wege, und in ununterbrochenen Strömen stürzte der Regen hernieder, die Kleider der Soldaten durchweichend, wie den Boden, auf welchem sie mühsam in ihren nassen, mit Wasser durchsickerten Stiefeln dahin wankten. Immer vorwärts ging es, allen Hindernissen und Hemmnissen zum Trotz. Der schlüpfrige Boden, die angeschwollenen Bäche, die breiten wassergefüllten Pfützen auf dem Wege, nichts durfte hindern und aufhalten. Die Geschütze sanken tief ein in den Morast, die Pferde wateten bis über die Hufen im Schmutz, aber dies Alles durfte das Auge nicht ablenken von dem Einen großen Ziel! Das preußische Heer mußte vorwärts, der Vereinigung mit den Engländern entgegen!

Aber Blücher sah wohl die Noth und Beschwerde seiner Soldaten, er sah, mit welchen Mühsalen sie zu kämpfen hatten, er sah, daß ihr Muth allgemach erschlaffte, daß ihre Gesichter düster und verdrießlich wurden. Ueberall, wo er eine Schwierigkeit erblickte, ein

9*

Gemurmel der Unzufriedenheit vernahm, überall dahin sprengte der Feldherr, die Schwierigkeit beseitigen zu helfen, das Gemurmel der Unzufriedenheit verstummen zu machen durch seinen freundlichen Zuspruch, sein tapferes Wort.

Aber die Schwierigkeiten häuften sich mehr und mehr, die Unzufriedenheit ward lauter und stürmischer. Sie begnügte sich nicht mehr verdrießliche Gesichter zu machen und leise zu murren, sie sprach laut und ungestüm.

Und Blücher hörte es, und eine unaussprechliche Angst sprach aus seinen Zügen, und seine buschigten weißen Augenbrauen zogen sich finster über seinen blitzenden Augen zusammen.

Es geht nicht, rief es jetzt hier und dort aus den Reihen der schwankenden, durch Morast und Wasserpfützen mühsam dahin watenden Krieger. Es geht nicht, wir können nicht vorwärts. Es ist unmöglich!

Kinder, rief Blücher in tiefster Seelenangst, Kinder, es muß gehen! Wir müssen vorwärts! Ich hab's ja versprochen! Kinder, hört Ihr wohl, ich hab's meinem Bruder Wellington versprochen, hört Ihr wohl? Ihr wollt doch nicht, daß ich wortbrüchig werden soll?

Nein, das wollen wir nicht, Vater Blücher, riefen

die Soldaten. Wir wollen thun, was möglich ist! Vorwärts!

Vorwärts! jubelte Blücher, seine Mütze abnehmend, und sie hoch in die Luft schwenkend, nicht achtend des triefenden Regens, der seinen kahlen Scheitel näßte, vorwärts, meine Kinder, vorwärts! Hört Ihr nicht den Donner der Kanonen? Das sind die Kanonen von unsern englischen Freunden, die sich die Franzosen zum Fricassee einschlachten. Kinder, wir sind auch hungrig auf das Fricassee und wir müssen unsern Antheil daran haben. Vorwärts also! die donnernden Kanonen rufen uns, die Schlacht hat begonnen!

Ja, die Schlacht hatte begonnen, sie wüthete mit furchtbarer Gewalt seit zwei Uhr Nachmittag zwischen den Engländern und den Franzosen, die sich zwischen Mont Sain Jean, Waterloo und Belle Alliance gegenüber standen. Auf der Höhe von Belle Alliance hielt Napoleon, und schaute mit seinem bleichen ehernen Cäsarenangesicht hinunter auf die wogende Schlacht, und immer heller ward sein Blick, und immer heiterer seine Stirn, denn für ihn scheint sich das Schicksal des Tages zu entscheiden! Die französischen Truppen bringen muthvoll vorwärts, ihr Ungestüm bezwingt jeden Widerstand, sie wollen und müssen die Sieger dieses Tages sein.

Auf der Höhe bei Waterloo hielt Wellington, und schaute hinunter auf die wogende Schlacht, und immer bleicher ward sein Angesicht, immer mehr wich der vernehme, ruhige Gleichmuth aus seinen Zügen, die den Ausdruck der Sorge und Angst annahmen.

Die Engländer, so muthig sie auch dem heranstürmenden Feind sich entgegenstellen und den Kampf aufnehmen, die Engländer sind doch verloren, wenn die Hülfe der Preußen ausbleibt. Napoleons Heer ist über neunzigtausend Mann stark, und Wellingtons Heer zählt kaum sechzigtausend Mann!

Es hält den Feldherrn nicht mehr da oben in müßiger, unthätiger Ruhe. Seine Engländer fochten wie die Löwen, Wellington wollte mit ihnen kämpfen, mit ihnen, wenn es sein müßte, untergehen.

Er ritt, gefolgt von seinen Adjutanten und Ordonnanzofficieren hinunter in das Gewühl der Schlacht, die in furchtbaren Wellenschlägen herüber und hinüber tobte. Die Kanonen brüllten, dazwischen vernahm man das Geheul der Verwundeten, die schaarenweise auf der Straße nach Brüssel dahin zogen, das Wuthgeschrei der Kämpfenden, die wie gereizte Tiger gegen einander sprengten, und sich anschaueten mit Blitzen des Hasses und Ingrimms.

Durch die Reihen seiner kämpfenden, hier zurückweichenden, dort vorwärts dringenden Soldaten sah man die hohe, schlanke Gestalt Wellingtons sich dahin bewegen, um überall den sinkenden Muth durch freundlichen Zuruf zu beleben, die Wankenden anzufeuern und zu trösten.

Kinder, rief Wellington seinen Kriegern entgegen, die in Schlamm und Blut, über Sterbende und Verwundete dahin schritten, und dem prasselnden Kartätschenfeuer des Feindes ruhig Trotz boten, Kinder, wir dürfen nicht geschlagen werden, was würde man in England von uns sagen!

Nein, wir dürfen nicht geschlagen werden, riefen die muthigen Schaaren, und vorwärts drangen sie, vorwärts, ob auch die Kartätschen ihre Reihen immer mehr lichteten, ob auch der Feind mit immer neuen Massen heranstürmte.

Aber diese Massen mit ihrer Ueberlegenheit drängten sie immer wieder zurück. Schon haben die Franzosen den Engländern das Dorf La Haye Sainte abgenommen, und auch das Dorf Houguemont, von den Kartätschen der Franzosen in Brand gesteckt, hat von den Engländern geräumt werden müssen.

Es war schon drei Uhr Nachmittags, Wellington

konnte es sich nicht mehr verhehlen, die Schlacht war verloren, wenn keine Hülfe komme, denn seine Engländer waren im Weichen.

Napoleon sah das auch, und ein Strahl der Freude blitzte in seinem Antlitz auf. Die Schlacht ist gewonnen, sagte er zu dem Marschall Soult, der neben ihm hielt. Wir wollen die Botschaft unseres Sieges nach Paris hinsenden.

Einige Minuten später sprengte eine Ordonnanz auf der Straße nach Frankreich dahin. Sie sollte den Brüdern Napoleons und den Kammern die Nachricht bringen von dem glücklich erfochtenen Sieg des Kaisers über die Engländer.

Denn der Sieg schien jetzt nicht mehr zweifelhaft. Die Engländer kämpften zwar noch immer, aber ihre Reihen lichteten sich mehr und mehr, und wie muthvoll sie auch Widerstand leisteten, es war keine Frage, sie mußten endlich doch der Uebermacht weichen.

Wie brav meine Truppen sind, sagte Napoleon mit leuchtenden Augen, wie sie arbeiten! Aber es ist wahr, auch die Engländer schlagen sich gut. Aber werden sie nicht bald den Widerstand aufgeben und Anstalten zum Rückzug machen?*)

*) Mémoires du Duc de Rovigo. Vol. VIII.

Nein, sagte Soult kopfschüttelnd, ich glaube, diese Engländer sind entschlossen, sich eher in Stücke hauen zu lassen, als zu retiriren.

Ja, die Engländer waren entschlossen dazu. Sie wollten nicht retiriren. Sie hofften noch immer auf die Hülfe der Preußen, und diese Hoffnung belebte immer wieder auf's Neue ihren Muth.

Aber doch ward die Gefahr immer dringender, die Möglichkeit des Sieges immer geringer. Die Franzosen waren schon wieder weiter vorgedrungen, sie beherrschten jetzt fast das ganze Schlachtfeld von La Haye bis Mont Saint Jean. Auf der Landstraße, die nach Brüssel führt, stand Wellington, umgeben von seinen Officieren, und schaute mit trostlosem Blick auf das Getümmel der Schlacht, die jetzt eine verlorene schien.

Jetzt umringten ihn seine Officiere und flehten ihn an, sich zurückzuziehen, und riethen ihm auch, der Armee, die sich so tapfer geschlagen, den Befehl zum Rückzug zu geben.

Nein, sagte Wellington, ich bleibe hier, ich weiche keinen Fuß breit!

Und mit fester Entschlossenheit setzte er sich auf den Grabenrand zur Seite des Weges, und starrte hinüber zu der Höhe von Belle-Alliance, um deren

Besitz sich eben ein wüthender Kampf entsponnen hatte.

Ich wollte, es wäre Abend, oder Blücher käme, seufzte Wellington aus tiefster Seele, und sein flehender Blick flog hinüber nach jener Seite, von welcher die ersehnte Hülfe daher kommen mußte.

Und auch seine Krieger hofften noch immer auf Blücher und seine Preußen, und wieder und immer wieder tönte der Ruf durch ihre Reihen: Ist Blücher schon da? Kommen die Preußen?

Nein, nein, Blücher ist noch immer nicht da, und die Gefahr ist auf's Höchste gestiegen. Immer mehr lichten sich die Reihen der Engländer, der Wald von Frichmont, der ihren Rücken deckt, ist vollgepfropft von Verwundeten und Wagentrains. — Aber jetzt auf einmal, was war das? Was für ein Kanonendonner da drüben im Rücken der Franzosen? Was ist das für eine schwarze Masse, die sich da von der Höhe herniederschlängelt, die da aus dem Walde von Frichmont hervorstürzt? Was sind das für jubelnde singende Stimmen, die das Geschrei der Verwundeten und Kämpfenden übertönen mit lustigen Kriegsliedern?

Wellington springt von der Erde auf, und sein Gesicht strahlt vor Wonne, und sein Auge flammt vor Freude.

Das ist Blücher, das sind die Preußen! ruft er mit lauter glückseliger Stimme, und durch die Reihen der Krieger wälzt sich die frohe Botschaft hin: Die Preußen sind da! Blücher ist angekommen!

Ja, die Preußen waren da, und mit jubelndem Ungestüm warfen sie sich auf den Feind!

Es galt, die Schlacht von Ligny zu rächen. Es galt, die Macht des Feindes auf Einmal und für immer zu brechen!

Die Feinde stürmen vorwärts, auf die von den Engländern besetzten Anhöhen hin, aber die Preußen greifen die Franzosen auf beiden Flügeln an. Die Kanonen donnern wieder, die Kartätschen prasseln und knattern, mit erneuter furchtbarer Gewalt tobt die Schlacht. La Haye, das die Franzosen den Engländern abgenommen, wird ihnen in blutigem Gemetzel wieder von den Preußen entrissen, bei Houguemont haben sich die Engländer wieder in vierdoppelter Schlachtlinie aufgestellt.

Die französischen Garden stürmen gegen sie heran, aber sie werden zurückgeworfen, und jetzt verbreitet sich durch ihre Reihen die Kunde: es war nicht Grouchy, der vorhin da heranzog, es waren nicht Truppen von den Unsrigen. Es war Blücher mit seinen Preußen! Der Feind steht uns im Rücken!

Einen panischen Schrecken erregt diese Nachricht in den Reihen der Franzosen, sie weichen zurück, und Sauve qui peut! ertönt es aller Orten, und die Soldaten verlassen die Glieder, und wildes Durcheinander und wüstes Geschrei unterbricht alle Ordnung und alle Regel. Vergebens sprengt Napoleon selbst unter seine Grenadiere und ermahnt sie zum Stillstand, vergebens donnert Ney's machtvolle Stimme den wankenden Schaaren ein Halt entgegen. Ein Kanonenschuß trifft in diesem Moment sein Pferd, Ney stürzt mit ihm zu Boden. Seine Soldaten sehen es, und dieser Unfall nimmt ihnen den letzten Rest von Besonnenheit und Ruhe. Sie rennen wild durcheinander, sie wollen nicht mehr kämpfen, sie wollen sich nur noch retten!

Nur die Garde, nur diese letzten Trümmer der granitenen Heeressäule von Marengo, steht noch unerschütterlich fest da, in einzelnen Quarré's zusammengeschoben, wie an den Tagen der großen Siege.

Napoleon reitet zu einem dieser Quarré's hin, er ruft seinen Garden sein: En avant! entgegen, und diese jauchzen ihm, seine Stimme erkennend, ihr: vive l'Empereur! entgegen! Ihren letzten Liebesgruß!

En avant! wiederholte General Cambronne den Befehl des Kaisers. An der Spitze seiner Garden

steht der Kaiser mit gezogenem Degen, kampfbereit, um ihn sind alle seine Getreuen, seine Generäle Ney, Soult, Bertrand, Drouot, Gourgaud, Labedoyère, sie nehmen, gleich dem Kaiser, den Degen in die Hand, um zu fechten und zu kämpfen wie gewöhnliche Soldaten.

Aber die alten Grenadiere sehen jetzt mit Entsetzen die Gefahr, welcher der Kaiser sich aussetzt, sie zittern für sein Leben, nicht für das ihrige.

Ziehen Sie Sich zurück, Sire, schreien sie wüthend, Sie sehen es ja, der Tod will Sie nicht!*)

Napoleon schaut zu ihnen zurück mit einem flammenden Blick, dann schwingt er den Degen hoch empor und commandirt: Feuer!

Aber die Officiere, die ihn umringen, fassen sein Pferd am Zügel und ziehen es mit Gewalt fort, hinaus aus dem Getümmel.

Sire, ruft Soult ihm entgegen, wollen Sie dem Feind den Triumph gönnen, Sie zu seinem Gefangenen zu machen? Retten Sie Sich, Sie sind es uns Allen, Sie sind es Frankreich schuldig!

Der Kaiser senkt sein Haupt auf seine Brust und sträubt sich nicht mehr. Gefolgt von einigen wenigen

*) Fleury III.

Getreuen verläßt er das Getümmel, das jetzt immer blutiger, immer wilder wird.

Noch immer kämpft General Cambronne mit seinen alten Garden, aber in immer größeren Massen ziehen die Engländer heran.

Ergebt Euch! schreien sie von allen Seiten dem Feinde entgegen, dessen Tapferkeit sie mit Bewunderung erfüllt. Ergebt Euch.

Doch Cambronne ruft: die Garde stirbt, aber sie ergiebt sich nicht!

Und die alten Grenadiere rufen es ihm nach: die Garde stirbt, aber sie ergiebt sich nicht!

Ein furchtbares Gemetzel beginnt, die Kugeln sausen und pfeifen umher, Mann gegen Mann wird gekämpft, Haufen von Leichen bedecken den blutgetränkten Boden, die Grenadiere stehen und kämpfen wie die Mauern, und erst, als der letzte von ihnen zusammengesunken, können die Engländer und Preußen sagen, daß sie gesiegt haben.

Und nun tönt es jubelnd über das Schlachtfeld hin: Sieg! Sieg! Die Schlacht ist gewonnen! Napoleon ist geflohen. — —

Droben auf der Höhe von Belle Alliance, auf derselben Stelle, von welcher Napoleon heute Nachmittag um vier Uhr die Schlacht überschauet und sich den Sieg zugeschrieben hat, da stehen jetzt Abends neun Uhr die beiden Feldherrn Wellington und Blücher. Sie stehen da Hand in Hand und schauen einander an mit innigen, freudigen Blicken, und Jeder beglückwünscht den Andern zu dem herrlichen Erfolg des blutigen Tagewerks, und Jeder schreibt dem Andern das Verdienst zu, den Sieg herbeigeführt zu haben.

Aber es war jetzt keine Zeit lange zu rasten und zu sprechen, das Werk mußte ganz vollendet werden.

Ich werde in Bonaparte's gestrigem Nachtquartier schlafen, sagte Wellington, sich mit freundlichem Gruß von Blücher verabschiedend.

Aber ich werde Bonaparte aus seinem heutigen Nachtquartier verjagen, rief Blücher mit kühnem Aufblitzen seiner Augen, ich übernehme die Verfolgung des Feindes.

Und bald jetzt ertönte Trommelwirbel und Trompetenschmettern, und unter lautem Hurrahrufen setzten sich die Preußen in Bewegung und folgten dem Feind, der in wildester Unordnung, im furchtbaren Durcheinander, sinnverwirrt vor Schreck und Entsetzen, auf der Heerstraße von Genappe dahinstürzte.

Mitten unter ihnen ritt Napoleon, umgeben von

wenigen Getreuen, auf seinem persischen Schimmel dahin, und die flüchtigen Soldaten, die an ihm vorüberstürmten, und ihn beim hellen Licht des Mondes erkannten, zeigten ihn sich untereinander und flüsterten: seht da, der Kaiser! Er ist nicht todt! Er lebt noch!

Ja, er lebt noch, aber seine Seele ist gebeugt bis zum Tode, und der Muth seines Herzens ist gebrochen! Er reitet dahin, schweigend, regungslos, immer weiter, weiter!

Endlich, in einem Hause unweit Charleroi, will er einen Moment ruhen, nach vierundzwanzigstündigem Fasten etwas Nahrung zu sich nehmen, weil Bertrand und Gourgaud ihn darum gebeten haben.

Er steigt vom Pferde, und tritt in das Haus ein, wo er sein Nachtquartier nehmen will. Vor dem Hause halten, umringt von Bewaffneten, die Bagage-Wagen und der Reisewagen des Kaisers.

Aber hat Blücher nicht zu seinem Bruder Wellington gesagt, er wolle den Bonaparte aus seinem heutigen Nachtquartier vertreiben?

Blücher hält Wort! Da kommt er schon dahergebraust mit seinen Preußen, da stürzt er mit ihnen heran, und jubelnd werfen sich die Krieger auf die Wagen, auf die Siegesbeute.*)

*) Die Preußen machten hier eine große Siegesbeute, denn

Das Jubelgeschrei rettet Napoleon. Durch eine Hinterpforte des Hauses flüchtet er sich, springt auf's Pferd, und stürmt, von Gourgaud und Bertrand gefolgt, wieder hinaus in die Nacht.

Alles ist verloren! Alles ist verloren! murmeln seine erbleichten Lippen, und in rasender Eile, jetzt nicht mehr der Kaiser, der Feldherr, sondern nur noch ein flüchtiger Soldat, der sein Leben retten will, sprengt der Kaiser dahin, gehetzt von dem einen, dem fürchterlichen Gedanken: Der Feind! Der Feind ist mir auf den Fersen!

Endlich in Philippeville macht er Halt. Hier sind keine Preußen, hier ist kein verfolgender Feind, hier findet er einige seiner treuen Diener.

Das ist Maret, der Herzog von Bassano, und

---

der Wagen des Kaisers, den sie hier nebst den kaiserlichen Bagagewagen erbeuteten, enthielt außerordentliche Schätze. Unter Andern ein wundervolles Collier von Brillanten, das die Prinzessin Borghese dem Kaiser ihrem Bruder gegeben hatte, außerdem sehr viele kostbare Schmucksachen, welche Napoleon mitgenommen, um nach dem Siege, wenn er in Brüssel eingezogen, dort sich die Herzen mit glänzenden Geschenken zu erwerben. Auch die Garderobenkoffer des Kaisers, sogar sein Hut und Degen fanden sich in dem Landau des Kaisers, und die eroberten Bagagewagen enthielten unter Anderm ein schweres silbernes Tafelservice.

Fleury von Chaboulon, sein Geheim-Secretair, die ihm entgegeneilen.

Der Kaiser reicht ihnen seine Hände dar. Weinend, fast zu Boden gedrückt von der Gewalt ihres Schmerzes, neigen sich die Beiden auf seine Hände, und küssen sie und bethauen sie mit ihren Thränen.

Und hinter dem Kaiser stehen Bertrand und Gourgaud, die Häupter auf die Brust gesenkt, nicht mehr im Stande, ihr Weinen, ihr Schluchzen zurückzuhalten.

Kein Wort wird geredet, aber ergreifender als alle Worte sprechen die Thränen, die jetzt auf einmal, Bächen gleich, aus den Augen des Kaisers hervorstürzen, und mit ihren heißen Strömen die eisernen Züge des Kaisers aufthauen, daß sie zucken vor Verzweiflung und Schmerz.

VII.

Die Abdankung.

Paris hatte heute einen vielbewegten, traurigen Tag erlebt, es hatte heute, am zwanzigsten Juni, die Kunde von der verlorenen Schlacht von Mont Saint Jean (Belle Alliance) erhalten, und diese Kunde hatte alle die frohen Hoffnungen zerstört, welche der Sieg von Ligny in den Herzen der sanguinischen Pariser erweckt hatte. Alle Familien waren in Thränen und Trauer versenkt, denn der Tod hatte in diesen Schlachten von Ligny und Belle Alliance mehr denn dreißigtausend Opfer gefordert, — und jetzt waren diese Opfer vergeblich gefallen, jetzt hatte man außer den Vätern, Gatten und Brüdern auch noch die Niederlage, das Verderben des Vaterlandes und des Kaisers zu beklagen.

Ein düsterer Trauerschleier hatte sich daher über

10 *

ganz Paris niedergesenkt, den ganzen Tag über hatten auf allen Straßen große Volksgruppen sich gesammelt, um untereinander das Unglück des Vaterlandes, die Niederlage der Armee, die Zukunft des Kaisers zu besprechen.

Die beiden Kammern hatten sich auch bei der ersten Kunde von der verlorenen Schlacht versammelt und waren seitdem in Permanenz geblieben. Man erzählte von energischen Entschlüssen, die sie gefaßt, man flüsterte sich leise zu, daß sie den Kaiser seines Thrones für verlustig erklären wollten, und nur noch beriethen über die neue Regierungsform, die sie Frankreich geben wollten.

Unter Klagen und Vermuthungen, Zweifeln und Schwankungen war der Tag hingegangen, und die Nacht hatte jetzt endlich auf einige Stunden wenigstens den bewegten Gemüthern Ruhe und Erholung gebracht.

Paris schlief, die Straßen waren öde und leer, in allen Häusern waren die Lichter erloschen, die Fenster dunkel.

Nur in dem Palais des Elysée waren noch einige Fenster erleuchtet, und vor dem Portal des Palastes stand der Minister Herzog Caulaincourt, sorgsam nach allen Seiten spähend, als erwarte er Jemand.

Jetzt vernahm man in der Ferne dumpfes Räderrollen, es kam näher und näher, deutlich sah man jetzt schon am Ende der Straße Saint Honoré einen Wagen daher kommen.

Er ist es, murmelte Caulaincourt mit einem langen, zitternden Seufzer, indem er vorwärts schritt, dem Wagen entgegen, der eben vor dem Palais anhielt.

Ein Mann hob sich mühsam aus dem Wagen empor, stieg, sich schwer auf Caulaincourts Schulter lehnend, aus demselben nieder, und ging in das Schloß, immer noch auf Caulaincourt gestützt, aber schweigend, das Haupt gesenkt, zuweilen nur tief aufächzend wie in unendlicher Qual.

Jetzt stieß Caulaincourt, nachdem sie den öden, matt erhellten Vorsaal durchschritten, eine Thür auf, und sie traten jetzt in das Wohnzimmer des Kaisers.

Es war hell erleuchtet, und bei dem Glanz der Kerzen konnte Caulaincourt jetzt zuerst das Antlitz des Kaisers gewahren. Wie hatten wenige Tage der Leiden dieses Antlitz verändert, welche Verwüstungen hatten sie angerichtet in diesem Gesicht, das sonst so gestählt schien gegen alle Eindrücke der Seele. Jetzt hatte der Schmerz seine tiefen Lineamente durch diese Züge gezogen. Jahre der Qualen hatte Napoleon in drei Tagen durchlebt, und diese Jahre waren auf seinem Antlitz verzeichnet und hatten ihre Furchen über seine Stirn gezogen.

Mit einem lauten Seufzer, der mehr einem Schrei glich, warf sich der Kaiser auf einen Fauteuil nieder und ließ seine Arme schlaff über die Seitenlehne, sein Haupt an den Rücken des Fauteuils sinken.

Dann, nach einem langen, angstvollen Schweigen hefteten sich seine düstern, glanzlosen Blicke auf den Herzog von Vicenza, der mit Thränen in den Augen ihm gegenüber stand. Napoleon streckte ihm langsam seine Hand entgegen, Caulaincourt nahm sie und drückte sie an seine Lippen mit einer Ehrfurcht, wie er sie ihm kaum je so tief in den Tagen seines Glanzes gezeigt.

Der Athem des Kaisers ging rascher und keuchender aus seiner Brust hervor, er schien mit seiner eigenen Aufregung zu kämpfen, und legte schnell seine Hand über sein Angesicht, um Caulaincourt die heftige Bewegung seiner Züge nicht sehen zu lassen.

Die Armee hat Wunder der Tapferkeit gethan, sagte Napoleon dann nach langer Pause, und seine Stimme, welche er zwingen wollte, ruhig zu sein, war laut und hart: ja, die Armee hat Wunder der Tapferkeit gethan, aber ein panischer Schrecken hatte sie plötzlich ergriffen und Alles war verloren!

Er senkte sein Haupt tiefer auf seine Brust, und starrte düster vor sich hin.

Ney hat sich betragen wie ein Narr, rief er dann heftig, er ist dran Schuld, daß meine Cavallerie massacrirt worden ist. Ach, ich kann nicht mehr, fuhr er fort, plötzlich aufspringend und seinen Uniformrock aufknöpfend, ich bin erschöpft, und bedarf zwei Stunden der Ruhe, ehe ich an die Geschäfte gehen kann. Ich ersticke da! rief er mit einem schmerzvollen Aechzen, die Hand auf sein Herz drückend.*)

Er nahm die Handklingel und schellte hastig. Ein Bad, rief er dem eintretenden Kammerdiener Marchand entgegen, sogleich ein Bad.

Sire, das Bad ist schon bereit.

Napoleon dankte seinem getreuen Diener mit einem matten Lächeln für dies Errathen seiner Wünsche, und wandte dann langsam sein Haupt nach Caulaincourt hin.

Ich will in's Bad gehen, und dann schlafen, sagte

---

*) Napoleons eigene Worte, so wie er sie bei seiner Heimkehr von Waterloo zu Caulaincourt im Elysée sprach. Siehe: Fleury IV. 2.

er, oder wenigstens versuchen zu schlafen. Senden Sie nach meinen Brüdern und den Ministern. Sie sollen in drei Stunden hier sein. Es ist jetzt elf Uhr. Um zwei Uhr in dieser Nacht will ich Ministerrath halten! Es müssen rasche energische Entschlüsse gefaßt werden, wenn nicht Alles verloren sein soll! —

Genau nach drei Stunden trat der Kaiser wieder in sein Cabinet, in welchem seine Brüder Joseph und Lucian mit Caulaincourt ihn erwarteten.

Napoleon grüßte seine Brüder mit einem stummen Kopfnicken und einem schweren Seufzer. Aber kein Wort der Klage kam mehr über seine Lippen, und sein Gesicht hatte jetzt schon seine kalte, undurchdringliche Ruhe wieder angenommen.

Es ist meine Absicht, die beiden Kammern zu einer kaiserlichen Haupt-Sitzung zu versammeln, sagte er. Ich werde ihnen das Unglück der Armee schildern, ich werde von ihnen die Mittel zur Rettung des Vaterlandes fordern, und dann werde ich wieder abreisen.

Sire, sagte Lucian ehrfurchtsvoll, die Nachricht Ihres Unglücks ist leider schon hieher gedrungen. Es herrscht eine große Aufregung in Paris, und die Stimmung der Kammern scheint feindlicher, wie je zuvor. Ich glaube, daß die Kammern in ihrer Feindseligkeit so weit gehen könnten, den Anforderungen Ew. Majestät nicht zu entsprechen, sondern sich gegen dieselben aufzulehnen. Ich bedaure, Ihnen gestehen zu müssen, daß Sie vielleicht besser gethan, nicht nach Paris zu kommen, und sich nicht von Ihrer Armee zu trennen, denn auf Ihrer Armee beruht jetzt Ihre Stärke und Ihre Sicherheit.

Ich habe keine Armee mehr, rief Napoleon, ich habe nur noch Flüchtlinge. Ich werde wohl Soldaten wieder finden, aber wie sie bewaffnen? Ich habe keine Gewehre. Indeß, wenn man in Uebereinstimmung handelt, kann Alles noch wiederhergestellt werden. Ich hoffe, daß die Deputirten mich unterstützen, daß sie die Verantwortlichkeit, die auf ihnen ruht, fühlen werden. Ich hoffe, daß Sie ihre Gesinnung falsch beurtheilen, die Majorität ist gut, ist Frankreichs würdig. Ich habe nur Lafayette, Lanjuinais und einige Andere gegen mich. Diese wollen mich nicht, das weiß ich. Ich bin ihnen lästig, denn sie wollen für sich selber wirken, aber ich werde das nicht leiden. Meine Gegenwart hier wird sie in Schranken halten.

Ich fürchte, Sire, daß Lafayette und Lanjuinais nicht Ihre einzigen mächtigen Feinde in den Kammern sind, sagte Joseph ernst. Mächtiger noch als diese ist Fouché, und er hat die Zeit Ihrer Abwesenheit benutzt, um in den Kammern Propaganda zu machen für Ihren Sturz.

Ich hätte ihn verhaften lassen sollen, Lucian hatte Recht, murmelte Napoleon leise vor sich hin. Caulaincourt, sind Sie auch der Meinung, daß ich nicht auf die Kammern zählen kann?

Sire, ich fürchte es. Wenigstens ist es rathsam, die Berufung der Sitzung zu verschieben und erst die Minister wirken zu lassen.

Sind die Minister hier?

Ja, Sire, sie erwarten Ew. Majestät seit einer halben Stunde im Conferenzsaal. Auch der Herzog von Bassano und die Adjutanten Ew. Majestät sind von Philippeville angelangt.

Maret soll kommen, rief Napoleon. Ich habe ihm in Philippeville das Bülletin der Schlacht von Mont Saint Jean diktirt. Er soll es in meiner Gegenwart den Ministern vorlesen. Gehen Sie zu den Ministern, nehmen Sie Maret mit und lassen Sie ihn das Bülletin vorlesen. Ich werde nachher auch dorthin kommen.

Die Prinzen und der Herzog zogen sich schweigend zurück, die Befehle des Kaisers zu erfüllen, und mit dem Herzog von Bassano sich in den Conferenzsaal zu begeben, um dort das Bülletin der unglücklichen Schlacht vorlesen zu lassen.

Und diese Vorlesung machte die Gesichter der Minister erbleichen und legte einen düstern Schatten über ihre Züge. Dieser Schatten verschwand selbst dann nicht, als der Kaiser zu ihnen eintrat, als er wieder unter ihnen erschien, kalt und ruhig, entschlossen und energisch wie immer. Mit Verbeugungen, die weniger tief und ehrerbietig wie sonst waren, erwiderten sie das rasche Kopfnicken des Kaisers, und ihre Blicke hefteten sich offen und trotzig auf Napoleons Angesicht.

Wir haben große Unglücksfälle zu beklagen, sagte Napoleon mit seiner vollen, tönenden Stimme. Ich bin gekommen, um sie wieder gut zu machen, um der Nation, der Armee edle und große Entschlüsse einzuflößen. Wenn die Nation sich erhebt, wird der Feind vernichtet werden. Wenn man, anstatt sich zu erheben, und außerordentliche Maßregeln zu ergreifen, überlegt und streitet, ist Alles verloren. Der Feind ist in Frankreich. Damit ich das Vaterland erretten kann, ist es nothwendig, mir eine große Macht, eine zeitweise Diktatur zu gewähren. Im Interesse des Vaterlandes könnte ich mich aus eigenem Willen mit dieser Macht bekleiden, aber es wäre nützlicher und nationaler, wenn die Kammern sie mir verliehen.*)

Er ließ seine flammenden, forschenden Blicke über die Gesichter der Minister dahin gleiten, diese senkten scheu ihre Augen nieder, aber sie antworteten nicht.

Meine Herren, rief Napoleon ungeduldig, sprechen Sie! Geben Sie mir Ihre Meinung zu erkennen. Berathen wir, was zum Wohl des Vaterlandes geschehen muß! —

Und jetzt folgten die Minister dem Befehl des Kaisers. Sie gaben ihre Meinung zu erkennen, und zwar mit einer Offenheit und Rücksichtslosigkeit, wie sie sonst der Kaiser niemals im Ministerrath vernommen.

Sie sprachen, sie legten die ganze Schwierigkeit der gegenwärtigen Lage dar. Sie schilderten die feindliche Stimmung der Kammern, die royalistische Stimmung der Provinzen, die allgemeine Abneigung der Franzosen, einen Krieg fortzusetzen, der nicht gegen Frankreich, sondern nur gegen einen einzigen Mann, nur gegen den Kaiser gerichtet sei.

Napoleon, auf einem Fauteuil niedergesunken und mit dem Federmesser an dessen Armlehne schnitzend,

---

*) Napoleons eigene Worte. Siehe: Fleury IV. 8.

hatte Stunden lang schweigend, nur zuweilen einige rasche energische Worte in die Discussion hineinschleudernd, zugehört. Aber bei dieser letzten Bemerkung hob er rasch das Haupt empor und blickte mit scharfen, prüfenden Augen auf den Grafen Regnault hin, welcher eben sprach.

Ich fürchte, sagte dieser, ich fürchte, die Kammern werden die Absichten des Kaisers nicht unterstützen, denn sie scheinen überzeugt, daß es nicht mehr der Kaiser ist, der das Vaterland zu erretten vermag. Ich fürchte daher, daß ein großes, unermeßliches Opfer gebracht werden muß.

Sprechen Sie offenherzig, rief Napoleon heftig, die Kammern wollen meine Abdankung, nicht wahr?

Ich glaube es, Sire, sagte Regnault mit feierlicher Stimme, wie schmerzlich mir es auch ist, ich halte es für meine Pflicht, die Wahrheit zu sagen." Ja, ich fürchte die Kammern begehren Ihre Abdankung, ich muß selbst noch hinzufügen, daß, wenn Ew. Majestät nicht aus freiem Entschluß Ihre Abdankung darbieten, diese vielleicht von der Kammer gefordert wird.

Nein, rief Lucian, nein! Ich habe mich oft schon in schwierigen Lagen befunden, und ich habe gesehen, daß, je größer die Krisen sind, man desto mehr Energie entfalten muß. Wenn die Kammern den Kaiser nicht unterstützen wollen, so muß er sich ihrer entledigen. Das Heil des Vaterlandes muß das erste Gesetz des Staates sein, und da die Kammern nicht geneigt scheinen, sich mit dem Kaiser zur Rettung Frankreichs zu vereinigen, so muß er es allein erretten. Er muß sich zum Diktator erklären, er muß den Belagerungszustand über Frankreich verhängen, und alle Patrioten und alle wohlgesinnten Franzosen zu seiner Vertheidigung aufrufen.

Ja, sagte Graf Carnot mit feierlicher Entschiedenheit, ja, das Volk muß bewaffnet werden, es muß seine heiligste Pflicht, die Vertheidigung des Vaterlandes erfüllen, und dazu scheint es nöthig, den Kaiser während der Dauer dieser Crisis mit einer außerordentlichen diktatorischen Gewalt zu bekleiden.

Der Kaiser warf sein Federmesser bei Seite und erhob sich von seinem Fauteuil. Mit einer Ruhe und Majestät, die Jedermann imponirte, schauete er im Kreise umher, und seine Augen hatten wieder ihre flammende Gewalt, seine Mienen hatten wieder ihre stolze Ruhe angenommen. Er war wieder der Kaiser, der Gebieter, der Held!

Die Kammern werden patriotischer und klüger sein,

wie Ihr Alle meint, rief er. Die Gegenwart des Feindes auf dem nationalen Boden wird, so hoffe ich, die Deputirten zu dem Gefühl ihrer Pflicht zurückführen. Die Nation hat sie nicht hierher geschickt, um mich zu stürzen, sondern um mich zu unterstützen. Ich fürchte sie nicht. Was sie auch thun mögen, ich werde immer das Idol des Volkes und der Armee sein. Es bedürfte nur Eines Wortes von mir und sie würden Alle verjagt werden. Aber indem ich nichts für mich fürchte, so fürchte ich doch Alles für das Vaterland. Wenn wir uns untereinander entzweien, statt uns zu verständigen, so werden wir das Loos des abendländischen Reichs haben. Alles wird verloren sein. Der Patriotismus der Nation, ihr Haß gegen die Bourbonen, ihre Anhänglichkeit für meine Person bieten uns noch unendliche Hülfsmittel dar; unsere Sache ist noch nicht verzweiflungsvoll. Wir können uns noch erretten und wir wollen es!*) Wie —

Die Thür des Saals ward hastig geöffnet und Fouché trat ein. Er näherte sich mit eiligen Schritten dem Kaiser und ein Ausdruck stolzen Hohns leuchtete aus seinem Angesicht.

*) Napoleons eigene Worte. Fleury IV. 11.

Sire, sagte er, statt hier im Ministerrath zu erscheinen, hatte ich, um den Interessen Eurer Majestät zu dienen, mich in die Kammer der Repräsentanten begeben, die mitten in der Nacht, sobald sie von der Rückkehr Eurer Majestät erfahren, eine Sitzung berufen hatte.

Und Sie kommen jetzt, Herr Herzog, mir das Resultat der dortigen Berathung mitzutheilen? fragte Napoleon mit ruhiger Würde.

Ja, Sire, die Kammer hat mir den unglücklichen Auftrag gegeben, Ew. Majestät die Beschlüsse, welche sie trotz meines heftigen und energischen Widerspruchs gefaßt hat, mitzutheilen, so wie gleicherweise die hier anwesenden Minister damit bekannt zu machen.

Und welches sind die Beschlüsse des Hauses der Repräsentanten? fragte Napoleon. Lassen Sie hören, Herr Herzog von Otranto.

Fouché zog ein Papier hervor und las:

Die Kammer der Repräsentanten erklärt, daß die Unabhängigkeit der Nation bedroht ist.

Die Kammer erklärt sich in Permanenz. Jeder Versuch, sie aufzulösen, ist ein Verbrechen des Hochverraths; derjenige, welcher sich dieses Versuches schuldig macht, ist ein Vaterlandsverräther, und soll sofort als solcher bestraft werden.

Die Armee der Linientruppen und die Nationalgarde, die für die Freiheit, die Unabhängigkeit der Erde Frankreichs gekämpft haben und noch kämpfen, haben sich um das Vaterland wohl verdient gemacht.

Die Minister des Krieges, der äußern und innern Angelegenheiten werden aufgefordert, sich sofort in den Schooß der Versammlung zu begeben.

Sind Sie zu Ende? fragte Napoleon, als Fouché jetzt schwieg, mit lauter Donnerstimme. Fouché verneigte sich schweigend.

Meine Herren Minister, rief Napoleon ungestüm, Sie haben jetzt den Ausspruch dieser Verräther vernommen. Denn sie, die Repräsentanten, welche solche Beschlüsse zu fassen wagten, sie sind Hochverräther. Jeder dieser Artikel ist ein Attentat gegen die beschworene Constitution, eine frevelhafte Anmaßung der Souverainetätsrechte. Noch bin ich der Kaiser und der Herr! Ich hätte meinem Impuls folgen, ich hätte diese Leute verhaften sollen, ehe ich zur Armee abreiste. Sie werden Frankreich in's Unglück stürzen. Ich werde versuchen, es zu retten, und wenn ich es nicht vermag, nun wohl, so werde ich abdanken!*)

---

*) Napoleons eigene Worte. Siehe: Fleury IV. 12.

Er verabschiedete die Minister mit einem kurzen Gruß, und durchschritt das Gemach, um sich in sein Arbeits-Cabinet zu begeben. Aber vor der Thür desselben angelangt, wandte er sich wieder um, und kehrte hastig wieder in den Kreis seiner Minister zurück.

Ich will noch nichts entscheiden, sagte er, wir wollen versuchen, uns zu verständigen. Graf Regnault, gehen Sie in die Kammer, um sie zu beruhigen, und das Terrain zu rekognosciren. Melden Sie den Repräsentanten, daß ich zurückgekehrt bin, daß ich so eben einen Ministerrath berufen habe, daß die Armee, nach dem ihnen gemeldeten Sieg, eine neue große Schlacht bestanden hat, daß Alles gut ging, daß die Engländer geschlagen waren, daß wir ihnen schon sechs Fahnen entrissen hatten, als Uebelwollende und Verräther einen panischen Schrecken verursachten. Melden Sie ferner, daß die Armee sich schon wieder sammelt, daß ich Befehle ertheilt habe, um die Flüchtlinge aufzuhalten, daß ich hieher gekommen bin, um mich mit den Ministern und den Kammern zu verständigen, und daß ich mich in diesem Augenblick damit beschäftige, solche Maaßregeln für das öffentliche Wohl zu ergreifen, wie die Umstände sie erfordern. Eilen Sie, Regnault. Sie aber, meine Herren Minister, bleiben Sie. Ich verbiete Ihnen, der Aufforderung der Kammer zu entsprechen, die Kammern haben kein Recht, meinen Ministern zu gebieten! Man soll Ihnen Erfrischungen bringen. Wir bedürfen Alle eines Moments der Erholung. Wenn Graf Regnault zurückkehrt, wollen wir uns hier wieder zusammenfinden! —

Kaum' eine Stunde war vergangen, als Regnault wieder in das Conferenzzimmer eintrat. Die Minister waren dort schon wieder versammelt, und der Kaiser, von des Grafen Ankunft benachrichtigt, trat wieder aus seinem Arbeits-Cabinet hervor.

Sire, sagte Graf Regnault traurig, die Kammer hat meine Botschaft mit kalter Ruhe und Gleichgültigkeit aufgenommen. Sie sendet durch mich zum zweiten Mal den Ministern den Befehl, vor ihren Schranken zu erscheinen, und erklärt es für eine Beleidigung der Nation, wenn sie ihr nicht gehorsamen.

Und was denken meine Herren Minister zu thun? Wem wollen sie gehorchen? Mir, oder den Repräsentanten? fragte Napoleon, seine flammenden Augen den Ministern zuwendend. Er sah ihre erbleichten, düstern Gesichter, ihre gesenkten Augen, ihre unschlüssigen Mienen, er las die Gedanken, die auf dem Grunde ihrer Seele ruhten, und die sie vielleicht nur noch nicht

11*

auszusprechen wagten, und ein tiefer, qualvoller Seufzer hob seine Brust.

Ich autorisire meine Minister, den Präsidenten der Kammer zu benachrichtigen, daß sie in kurzer Zeit in der Versammlung erscheinen werden, sagte er düster. Ich werde meine Minister mit einer Botschaft von mir an beide Häuser senden. Mein Bruder Lucian soll als mein General-Commissarius die Minister begleiten, und mir die Antwort der Kammern auf meine Botschaft überbringen. Ich will es noch einmal versuchen, in Eintracht mit den Kammern zu verhandeln, mit ihnen die Mittel zur Rettung des Vaterlandes zu berathschlagen. —

Er diktirte dem Herzog von Bassano mit fester Stimme seine Botschaft an die Kammern, und zog sich dann, erschöpft von so viel Aufregungen und Sorgen, in sein Schlafzimmer zurück, um zu ruhen.

Aber seine Seele in ihren Schmerzen und Qualen ließ ihn keine Ruhe finden, mit offenen Augen, gemartert von seinen eigenen Gedanken, zuweilen laut aufächzend, zuweilen einzelne Worte des Zorns und der Verwünschung ausstoßend, lag er auf seinem Lager und kein Schlaf senkte sich auf seine Augenlider, keine Ruhe in sein gemartertes Herz.

Luft, ich muß Luft haben, oder ich erſticke, ſagte er emporſpringend. Ich mag nicht allein ſein, dieſe Stille martert mich.

Er ging haſtig in ſein Cabinet, und ſein Antlitz erhellte ſich, als er dort den Herzog von Rovigo und Benjamin Conſtant traf, die Beide gekommen waren, den heimgekehrten Kaiſer zu begrüßen.

Kommen Sie in den Garten, ſagte der Kaiſer, und er ſchritt haſtig den beiden Herren voran und ging hinunter in den Garten, um in deſſen ſchattigen Alleen mit ihnen auf und ab zu wandeln, und ernſt und gelaſſen die Angelegenheiten des heutigen Tages zu beſprechen.

Sie glauben alſo auch, Savary, ſagte er, daß die Kammern ſich gegen mich erklären und ſich von mir losſagen werden?

Ja, Sire, ich fürchte es, dieſe unglücklichen Repräſentanten vermeinen, ſich ſelber und Frankreich zu erretten von der Feindſchaft der Alliirten, wenn ſie ſich freiwillig losſagen von dem Kaiſer, dem, nach der Erklärung der Alliirten, allein ihr Angriff und ihre Feindſchaft gilt.

Ja, rief Napoleon mit einem bittern Lächeln, das ſind dieſelben Menſchen, die voriges Jahr mich zur Abdankung beredeten! Sie wollen nicht einsehen, daß ich nur der Vorwand des Krieges bin, und daß Frankreich der eigentliche Gegenstand desselben ist. Wenn Frankreich nicht bei dem letzten Traktat ganz und gar vernichtet wurde, so kam es daher, weil die Fremden noch von einem Rest menschlicher Ehrfurcht zurückgehalten wurden, und weil sie Furcht hatten vor meiner möglichen Rückkehr. Unsinnige sind Diejenigen, die das nicht begreifen wollen; wenn sie mich werden verlassen haben, dann wird man es ihnen als Schuld anrechnen, daß sie mich vorher aufgenommen haben, und dann wird es an der Zeit sein, sich der Reue hinzugeben.*)

Sire, sagte Benjamin Constant, die Alliirten werden es nicht wagen, eine Versammlung anzugreifen, welche das ganze französische Volk vertritt und von diesem berufen ist!

Ach, Sie wollen mir damit sagen, daß Frankreich gerettet ist, wenn ich abdanke, und daß —

Ein lautes, freudiges Jauchzen, ein donnerndes Vive l'Empereur! unterbrach die Worte des Kaisers. Er hatte im Auf- und Abwandeln durch die Alleen des

---

*) Napoleons eigene Worte. Siehe: Memoires du Duc de Rovigo Vol. VIII. S. 138.

Gartens jetzt mit seinen Begleitern die große breite Allee gewählt, welche dicht an dem Eisengitter sich befand, das den Garten begrenzte. Hinter diesem durchbrochenen und weitläuftigen Eisengitter standen Tausende von Arbeitern, von Leuten aus dem Volk, sie waren gekommen, den Kaiser zu sehen, ihn zu begrüßen, ihm zu sagen, daß sie ihm treu bleiben, und daß sie ihn nicht verlassen wollten, daß sie nur ihn und nicht die Kammern zu ihrem Herrn annehmen wollten.

Und dies Alles sagten sie ihm jetzt mit ihrem lauten, immer sich erneuernden vive l'Empereur! dies sagten sie ihm mit ihren hoch empor gehobenen Armen, die sich nach ihm hinstreckten, mit ihren blitzenden Augen, die durch das Gitter mit Blicken voll Liebe und Bewunderung auf ihn gerichtet waren.

Der Kaiser begrüßte sie mit einem traurigen Lächeln und wandte sich dann seinen beiden Begleitern zu. Seht, sagte er, so geht es. Diese Menschen habe ich mit Ehren und Reichthümern überhäuft? Was schulden sie mir? Ich fand sie arm, und ich verlasse sie arm. Der Instinct der Nothwendigkeit spricht aus ihrem Munde; er klärt sie auf, und wenn ich es will, wenn ich es gestatte, haben in Einer

Stunde die widerspenstigen Kammern aufgehört zu existiren.*)

Ach, da kommt mein Bruder! da kommt Lucian!

Er ging dem Prinzen, der eben die Allee daher schritt, lebhaft entgegen.

Nun, Lucian, was für Botschaft bringst Du mir? Wie haben die Kammern meine Vorschläge aufgenommen?

Ach, Sire, ich bringe schlimme Botschaft. Alle meine Vorstellungen, meine Vernunftgründe, meine Vorwürfe waren vergeblich. Ich war zuerst in der Kammer der Repräsentanten. Ich beschwor sie, den Kaiser zu unterstützen, mit ihm sich zur Errettung des Vaterlandes zu vereinen. Meine Worte wurden mit Hohn, mit Spott zurückgewiesen, der Repräsentant Jay erklärte, der Kaiser sei ein Hinderniß für das Glück Frankreichs, denn er könne es nicht mehr vertheidigen, und er verhindere nur die Versöhnung mit Europa, und als ich dann daran erinnerte, wie große Wohlthaten, wie viele Siege Frankreich Eurer Majestät verdanke, da erhob sich Lafayette, um wider mich das Wort zu ergreifen,

---

*) Napoleons eigene Worte. Siehe: Benjamin Constant. Les cent jours etc.

um die Opfer zu schildern, welche Frankreich seinem Kaiser gebracht, um zu erklären, die Nation habe genug für einen Einzigen gethan, es sei jetzt Zeit, daß sie an sich selber denke. Und alle Repräsentanten jauchzten ihm zu und erhoben sich von ihren Sitzen und riefen: der Kaiser muß freiwillig abdanken oder wir werden ihn dazu zwingen!

Ah, ich muß! rief Napoleon mit donnernder Stimme. Man will mir Gesetze vorschreiben! Jetzt werde ich nicht abdanken. Die Kammer ist aus Jakobinern, aus verbrannten Köpfen, aus Ehrgeizigen zusammengesetzt, die nur Stellen erhaschen und Unordnung erregen wollen. Ich hätte sie der Nation denunciren, sie verjagen sollen. Es ist vielleicht noch Zeit dazu! *)

Ja, Sire, es ist noch Zeit dazu, rief Lucian. Fassen Sie jetzt einen energischen Entschluß. Verjagen Sie die Kammern, ergreifen Sie bis nach Befreiung des Vaterlandes die militairische Diktatur, rufen Sie das Volk zu einer allgemeinen Erhebung und Bewaffnung auf! Sire, es ist, wie Ihnen gemeldet worden, ein Theil der Armee, zehntausend Mann, in Paris eingerückt, und sie glühen dem Kampf entgegen, sie hängen

*) Napoleons eigene Worte. Fleury IV.

noch immer mit Begeisterung an ihrem Kaiser, sie sind bereit, für ihn zu kämpfen. Rufen Sie Ihre Getreuen, lassen Sie die Kammern verjagen, und Sie sind wieder der Kaiser, und keine Stimme wird es wagen, sich wider Sie zu erheben!

Der Kaiser antwortete nicht sogleich. Er ging, die Arme auf dem Rücken gefaltet, langsam die Allee hinauf; zuweilen blieb er stehen und warf einen langen Blick hinüber nach jener Seite, wo hinter den Bäumen und Büschen das Gitter sich befand, durch welches das Volk nach seinem Kaiser spähete, und horchte auf das verworrene Geschrei, das da herübertönte und aus dem zuweilen wie eine himmlische Melodie das jauchzende vive l'Empereur emporrauschte. — Dann schritt er wieder rascher vorwärts und schien nun wieder auf die Stimmen zu lauschen, die in seiner eigenen Brust ihm ertönten.

Endlich blieb er, zu dem Portal des Palastes gelangt, vor den Herren stehen und hob seine düstern Augen zu ihren fragenden, erwartungsvollen Gesichtern empor.

Nein, sagte er, ich will keinen Bürgerkrieg! Ich weiß wohl, daß es nur eines Winkes von mir bedürfte, um die Opposition zu vernichten und mir einen Triumph über sie zu verschaffen. Aber das Leben Eines Mannes ist nicht werth, mit so vielen Menschenopfern erkauft zu werden. Ich kam nicht von Elba zurück, um Paris mit Blut zu überschwemmen.*)

So sind Sie verloren, mein Bruder, seufzte Lucian.

Das heißt, wenn es sein muß, so opfere ich mich der Ruhe und dem Wohlergehen Frankreichs, sagte Napoleon ruhig, und Frankreich wird dereinst dieses Opfer anerkennen und es wird mich dafür lieben! Was thun die Kammern jetzt, Lucian?

Sire, die Repräsentanten waren von der zwanzigstündigen Sitzung, von den langen und heftigen Debatten so erschöpft, daß sie die Sitzung aufgehoben haben und erst morgen früh um acht Uhr sich wieder versammeln wollen.

Ja, es ist wahr, murmelte Napoleon, dies war ein sehr angreifender Tag. Ich empfinde das auch, meine Seele ist auch erschöpft. Die Sonne ist untergegangen und es wird Abend! Da meine Feinde schlafen, will ich es auch thun! Adieu, Lucian, adieu, Savary und Constant. Morgen früh wollen wir weiter sprechen!

Er nickte ihnen mit einem matten Lächeln einen

*) Napoleons eigene Worte. Mémoires du Duc de Rovigo.

Abschiedsgruß zu und schritt langsam, gesenkten Hauptes durch das Portal in das Schloß.

Die Sonne ist untergegangen und es wird Abend, flüsterte Lucian, seinem Bruder nachblickend. Ja, ich fürchte, seine Sonne ist jetzt für immer untergegangen.

VIII.

Die Abdankung.

Ob der Kaiser in dieser Nacht vom ein und zwanzigsten auf den zwei und zwanzigsten Juni geschlafen? Er hatte sich wenigstens in seine Schlafzimmer zurückgezogen und sich mit Hülfe seines Kammerdieners Marchand zu Bett begeben.

Aber als er am andern Morgen wieder aus seinem Schlafzimmer hervortrat, zeigte sein Antlitz die Spuren tiefster Erschöpfung und selbst das düstere Feuer seiner Augen war erloschen.

Die wenigen Getreuen, welche in diesen Tagen der Trübsal ihn nicht verlassen, seine Minister, seine Brüder, der General Bertrand und der Herzog von Rovigo und einige Andere hatten ihn in seinem Cabinet erwartet und empfingen ihn mit ehrfurchtsvollen Grüßen und Verbeugungen.

Es ist acht Uhr, sagte der Kaiser. Jetzt werden die Kammern sich versammeln, und jetzt wollen auch wir berathen, was geschehen soll und muß. Der Feind naht sich unsern Mauern.

Sire, meldete der eintretende Kammerdiener, der Herzog von Otranto! Er öffnete auf einen Wink Napoleons die Thür und Fouché trat ein.

Er schritt einher aufrecht, stolz gehobenen Hauptes, wie er es sonst nie gewagt vor dem Kaiser zu erscheinen, sein Angesicht strahlte wie in höhnischer Freude und ein triumphirendes Lächeln umspielte seine Lippen.

Napoleon, der mit einem einzigen Blick seine ganze Gestalt überflogen hatte, wandte langsam das Haupt den andern Herren zu.

Ich sagte soeben, der Feind naht sich unsern Mauern, ich irrte mich, der Feind ist schon innerhalb derselben! Nun, was giebt es, Herr Herzog? Warum sind Sie nicht, gleich den andern Ministern, wie ich befohlen, um halb acht Uhr hier erschienen? Hat man Ihnen nicht gemeldet, daß ich einen Ministerrath halten wollte?

Sire, sagte Fouché gelassen, ich konnte leider nicht kommen, denn die Kammern hielten heute Morgen eine Sitzung und ich mußte derselben beiwohnen.

Was, die Kammern haben schon eine Sitzung gehalten? rief der Kaiser. Sie wollten sich ja erst um acht Uhr versammeln.

Die dringlichen Umstände haben sie indeß veranlaßt, diese Sitzung auf eine frühere Stunde zu verlegen und sie sind schon heute morgen um fünf Uhr zusammengetreten. Es haben heftige Debatten stattgefunden, Ihre Feinde, Lafayette und Lanjuinais an ihrer Spitze, ergossen sich in den leidenschaftlichsten Reden gegen das Oberhaupt des Staates.

Aber Sie, nicht wahr, Sie sprachen für mich? fragte Napoleon mit einem höhnischen Ausdruck.

Ja, ich sprach für Sie, sagte Fouché ruhig, und meinen Bemühungen allein ist es gelungen, die harten Aussprüche der Kammer ein wenig zu mildern. Lafayette schlug vor, daß man Sie ohne Weiteres als der Krone für verlustig erklären sollte. General Grenier proponirte, daß sich eine Deputation in das Elysée begeben und verlangen sollte, daß Napoleon Bonaparte sofort seine Abdankung erkläre. Meinen Bemühungen ist es gelungen, noch eine Stunde Aufschub zu erlangen. Man hat mir gestattet, mich hierher zu verfügen, Sie zu beschwören, freiwillig und wie aus eigenem Impuls eine Botschaft an die Kammern zu senden, und denselben zu melden, daß Sie der Krone entsagen und sie niederlegen. Man will, um die Ehre des Staatsoberhauptes zu schonen, eine Stunde noch auf diese Erklärung warten, und erst, wenn sie bis dahin nicht erfolgt ist, wird die Kammer eine Deputation hierher entsenden, um Sie aufzufordern, sofort und ohne Säumen die Krone niederzulegen.*).

Der Kaiser hatte den Worten Fouché's, wie es schien, mit vollkommener Ruhe zugehört, aber seine Wangen waren noch bleicher geworden, als zuvor, und in seinen Augen, welche vorher so trübe und glanzlos gewesen, flammte jetzt das Feuer des Zorns.

Herr Herzog von Otranto, sagte er, noch bin ich der Kaiser, und wenn ich auch meine Krone niederlege, so bleibt mir doch die Würde eines Kaisers. Ich habe dieselbe von der französischen Nation erhalten, und sie verliert sich nicht.**) Bedienen Sie Sich daher in Ihren Verhandlungen mit mir der ehrfurchtsvollen Formen, wie sie meinem Diener und dem Manne geziemen, den ich zum Herzog gemacht habe. Was die unverschämte Forderung der durch mich eingesetzten Kammern anbelangt, so werde ich überlegen, was mir zum Wohle des Staats erforderlich scheint.

*) Fleury VI. 21.

**) Napoleons eigene Worte. Siehe: Fleury IV. S. 31.

Oh Sire, rief der General Solignac, der so eben in das Cabinet eintrat, ich beschwöre Sie, überlegen Sie nicht mehr. Entscheiden Sie Sich rasch. Ich komme aus der Kammer. Alles ist dort in Aufruhr und Bewegung. Lafayette hat den Vorschlag gemacht, die Entsetzung auszusprechen, und Ew. Majestät verhaften zu lassen. Mehr als funfzig der Repräsentanten haben sich vereinigt, um hieher zu ziehen, ein Trupp National-Gardisten hat sich ihnen zugesellt, und sie warten nur auf das Ablaufen der bewilligten Frist, um her zu kommen, und Ew. Majestät zu verhaften.*)

Und was sagen Sie, meine Brüder, Sie, meine Herren Minister, zu diesem Attentat? rief Napoleon mit donnernder Stimme. Lucian, sprechen Sie, Sie, der mir immer gerathen hat, nicht nachzugeben. Sind Sie noch jetzt dieser Meinung?

Nein, Sire, seufzte Lucian, es ist zu spät. Der glückliche Moment ist vorübergegangen, jetzt müssen Sie Sich unterwerfen!

Napoleons fragender Blick wandte sich von Lucian zu seinem Bruder Joseph hin.

Sire, ich theile die Ansicht meines Bruders, sagte

*) Eduard Arnd: Geschichte der letzten vierzig Jahre. I. 147.

der Prinz traurig, Ew. Majestät müssen sich unterwerfen!

Und was sagen meine Minister? fragte Napoleon.

Aber weder Maret, noch Caulaincourt, noch Decrès und Carnot antworteten, sie standen da gesenkten Hauptes, — nur Fouché, der Polizeiminister des Kaisers, stand hoch erhobenen Hauptes, und heftete seine leuchtenden Blicke fest auf das bleiche Antlitz des Kaisers.

Und Sie, Savary und Bertrand, fragte Napoleon, sagen auch Sie, das Alles verloren ist?

Ja, rief der Herzog von Rovigo, ja, es ist Alles verloren. Ew. Majestät müssen Sich entschließen, Frankreich das größte Opfer darzubringen. Oh Sire, ich beschwöre Sie, suchen Sie nicht länger gegen die Macht der Verhältnisse anzukämpfen. Die Zeit verfließt, der Feind rückt heran. Dulden Sie es nicht, daß die Kammer, daß die Nation Sie beschuldigen kann, Sie hätten Frankreich verhindert, Frieden mit seinen Feinden zu machen.

Sire, sagte General Bertrand mit flehender Stimme, das Antlitz überfluthet von Thränen, Sire, seien Sie groß, wie Sie es bis hieher immer gewesen. Im Jahre 1814 haben Sie Sich dem Wohle Aller geopfert, er=

neuern Sie heute dieses erhabene, dieses großmüthige Opfer.

Napoleon schwieg, — eine tiefe Stille trat ein, und inmitten dieser Stille vernahm man nur die Seufzer, die schwer und ächzend aus der Brust der Kaisers hervorkamen. Lange starrte er, nicht achtend, daß Aller Augen auf ihn gerichtet waren, in das Leere, dann wandte er langsam sein Haupt nach Fouché hin.

Herr Herzog von Otranto, sagte er mit fester, ruhiger Stimme, gehen Sie in die Kammer, und melden Sie den Herren, daß sie sich ruhig verhalten sollen. Ich werde ihre Wünsche erfüllen. Ich werde abdanken.

Ein einziger gemeinschaftlicher Schrei des Schmerzes tönte von Aller Lippen, nur Fouché lächelte, und sich leicht verneigend, verließ er eilig das Zimmer.

Jetzt, mein Bruder Lucian, sagte der Kaiser gelassen, jetzt nehmen Sie die Feder, ich will Ihnen dictiren!

Lucian setzte sich vor dem Schreibtisch nieder, die Minister, Herzöge und Generäle zogen sich ehrfurchtsvoll in den Hintergrund des Zimmers zurück.

Napoleon blieb seinem Bruder Lucian gegenüber neben dem Tisch stehen, und die Hand auf denselben aufgestützt, gerade und stolz aufgerichtet, diktirte der Kaiser mit ruhiger, fester Stimme wie folgt:

„Declaration an das französische Volk.

„Indem ich den Krieg begann, um die nationale Unabhängigkeit aufrecht zu erhalten, zählte ich auf die Vereinigung aller Kräfte, aller nationalen Autoritäten. Ich war berechtigt, einen guten Erfolg davon zu erhoffen, und ich hatte deshalb allen Erklärungen der Mächte gegen mich Trotz geboten."

„Die Umstände erscheinen mir jetzt verändert; ich biete mich dem Haß der Feinde Frankreichs als Opfer dar; möchten sie aufrichtig gewesen sein in ihren Erklärungen und wirklich nur ihre Feindschaft gegen meine Person gerichtet haben! Mein politisches Leben ist abgeschlossen; und ich proclamire meinen Sohn unter dem Titel Napoleon II. zum Kaiser der Franzosen."

„Die activen Minister werden einen provisorischen Regentschaftsrath bilden. Die Zuneigung, die ich für meinen Sohn hege, verpflichtet mich, die Kammern aufzufordern, ohne Verzug die Regentschaft durch ein Gesetz zu organisiren."

„Vereinigt Euch Alle für das öffentliche Wohl und um eine unabhängige Nation zu bleiben."

Mein Bruder, sagte Napoleon mit einem sanften

Lächeln, jetzt bin ich zu Ende. Es bleibt nur noch übrig zu unterschreiben.

Er ging mit festem Schritt an die andere Seite des Tisches, nahm die Feder aus Lucians Händen, und stehend, sich nur leicht herunterneigend über das Papier schrieb er mit rascher Hand seinen Namen unter die Declaration.

Jetzt soll Fleury zwei Abschriften davon machen, sagte Napoleon, die Feder fortwerfend, drei meiner Minister sollen die eine der Declarationen in die Deputirtenkammer, und wieder drei andere die zweite Abschrift in die Pairskammer tragen.

Eben ward die Thür hastig aufgerissen und der Graf de la Borde, der General-Adjutant der National-Garde stürzte herein.

Sire, sagte er athemlos und keuchend, Sire, es ist keine Minute mehr zu verlieren. Die Kammern wollen so eben die Absetzung Eurer Majestät zur Abstimmung bringen.

Napoleon schritt zu dem Grafen hin, der bleich, athemlos vom eiligem Lauf kaum noch im Stande war, sich aufrecht zu halten. Mit einem Blick voll Theilnahme und Güte legte Napoleon seine Hand auf die Schulter des Grafen.

Diese guten Leute haben es wirklich sehr eilig, sagte er. Kehren Sie zu ihnen zurück und sagen Sie ihnen, sie möchten sich beruhigen. Die Abdankung sei schon geschrieben und würde ihnen sogleich überreicht werden.*) Und jetzt, da die Geschäfte beendet sind, fuhr der Kaiser ruhig fort, jetzt darf ich wohl eine Stunde der Ruhe genießen. Ich fühle mich erschöpft, ich will schlafen!

Er durchschritt langsam das Gemach, trat in sein Schlafzimmer ein und ließ sich mit einem tiefen Seufzer auf sein Lager niedergleiten. —

Eine Stunde später trat sein Bruder Lucian in das Schlafgemach Napoleons ein, um ihm zu melden, daß eine Deputation aus der Kammer der Abgeordneten im Palais angelangt sei, um dem Kaiser zu danken.

Leise schlich Lucian zu dem Bett hin, auf welchem der Kaiser ruhte, leise rief er seinen Namen.

Aber der Kaiser hörte ihn nicht.

Er schläft, sagte Lucian tief bewegt. Eine Welt ist in Aufregung Zorn und Aufruhr um seinetwillen. Aber er kann schlafen, er fühlt sich still und ruhig, denn er hat das Opfer gebracht, welches ihm das schwerste auf der Welt dünkte. Er hat seine Krone

---

*) Fleury IV. 28.

dahin gegeben. Er war Kaiser, jetzt ist er wieder ein Held, und nicht als entthronter Kaiser liegt er da und schläft, sondern als der lorbeerbekränzte Held, den nichts entthronen kann, und der schlafen darf, wenn er auch einen irdischen Thron verloren hat, denn ihm bleibt der unsterbliche Thron, den ihm sein Ruhm in der Weltgeschichte erbaut hat.

Er neigte sich tief über den Schlafenden, und drückte leise einen Kuß auf Napoleons Stirn.

Wache auf, mein Bruder, wache auf! Vollende Dein Opfer, nimm die letzten Huldigungen Frankreichs entgegen!

Napoleon richtete sich rasch von seinem Lager empor, und schaute verwundert zu Lucian hin, den er sonst immer so entschlossen und mannhaft gesehen, und dessen Antlitz jetzt überfluthet war von Thränen.

Weinst Du, Lucian, weil Du über mich trauerst? fragte Napoleon.

Nein, sagte er, ich weine, weil ich mich über Dich freue, mein Bruder. Du hast das Schwerste gethan, Du hast Dich selbst überwunden! Aber jetzt, Sire, sagte er, ehrfurchtsvoll zurücktretend, jetzt bringen Sie das letzte Opfer. Nehmen Sie mit heiterer Ruhe die Huldigungen Ihrer Feinde entgegen. Eine zahlreiche

Deputation der Kammer ist da, und wünscht von Ew. Majestät Abschied zu nehmen.

Ach, sie wünschen mich zu sehen, wie mir die Glieder zerschmettert sind durch diesen Fall von meinem Thron, rief Napoleon, indem er von dem Lager emporsprang. Sie sollen diesen Wunsch nicht erfüllt sehen! Ich lebe noch, ich fühle mich nicht zerschmettert, ich kann noch meine Arme heben, meine Hand kann noch immer ein Schwert fassen, und meine Füße sind noch stark und kräftig, um mich weit fortzutragen, weit fort in eine neue Welt. Und die will ich mir suchen, und in ihr will ich mir einen neuen Thron erbauen. Ach, wer noch einen starken Kopf, einen kräftigen Arm, ein scharfes Schwert und gesunde Füße hat, dem gehört die Zukunft, und er kann noch nicht sagen, daß er mit dem Leben abgeschlossen hat. Ich habe für Frankreich, für Europa vielleicht aufgehört zu leben, aber die Welt ist groß, und ich werde auf einem andern Welttheil wieder auferstehen.

Die Welt ist nicht so groß, rief Lucian, daß der Klang ihres Namens, daß der Ruhm Napoleons nicht überall hingedrungen wäre. Ich hörte ihn an den Ufern des Delaware so hell und jauchzend erklingen, wie in Europa, die Wüsten Afrika's wissen von ihm zu erzählen, und über die Mauern China's ist er hinüber geschallt. Die ganze Welt huldigt dem Ruhm des großen Napoleon.

Die ganze Welt huldigt mir, sagte Napoleon leise vor sich hin, und doch werde ich bald nicht mehr wissen, wo ich mein Haupt hinlegen soll, und kein Fuß breit Landes wird Mein sein. Doch still davon! Mein Herz soll stark bleiben. Geh, Lucian, sage, daß ich kommen werde, die Deputation zu empfangen. —

Wenige Minuten später trat Napoleon in den Audienzsaal, in welchem seine Brüder, seine Minister, seine wenigen getreuen Freunde, und die zahlreiche Deputation der Repräsentanten versammelt waren.

Fest und ruhig, wie in den Tagen seines Glückes, schritt der Kaiser bis in die Mitte des Saals. Sein Auge hatte jetzt wieder seinen tiefen, feurigen Glanz, seine Züge waren wieder undurchdringlich, es war wieder das eherne Cäsarenhaupt, welches die Deputirten da vor sich sahen, und vor dem sie, von unwillkürlicher Ehrfurcht ergriffen, sich tief verneigten.

Und ehern, kalt und ruhig blieb auch das Cäsarenantlitz, als der Sprecher der Deputirten, als Graf Lanjuinais jetzt dem Kaiser im Namen der Kammern sich nahte, als er in pathetischen Worten sprach „von der Ehrfurcht und Dankbarkeit, mit welcher die Nation das edle Opfer annähme, welches Napoleon dem Glück und der Unabhängigkeit des französischen Volkes dargebracht."

Eine tiefe Stille trat ein, nachdem Lanjuinais gesprochen; in athemlosem Schweigen schauten Alle auf Napoleon hin, um von ihm noch ein letztes Wort, ein Wort des Abschieds für Frankreich zu vernehmen.

Ich danke Ihnen, sagte der Kaiser nach langem Schweigen mit einer Stimme, welche so sanft und weich war, daß sie Thränen in die Augen seiner Zuhörer rief, und jedes Herz erbeben machte vor Rührung, ich danke Ihnen für die Gefühle, welche Sie mir ausdrücken; ich wünsche, daß meine Abdankung das Glück Frankreichs wiederherstelle, aber ich hoffe es nicht, denn sie läßt den Staat ohne Haupt, ohne politische Existenz. Die Zeit, die man damit verloren hat eine Monarchie umzustoßen, hätte besser dazu angewandt werden können, Frankreich in den Stand zu setzen, den Feind zu vernichten.

Ich empfehle der Kammer, die Armee so rasch wie möglich zu vervollständigen: wer den Frieden will, muß sich zum Kriege bereit halten.

Gebt diese große Nation nicht der Gnade der

Fremden dahin, fürchtet von Euren Hoffnungen betrogen zu werden, denn da liegt für Euch die Gefahr. In welcher Lage ich mich auch befinden werde, ich werde immer zufrieden sein, wenn Frankreich glücklich ist.

Ich empfehle meinen Sohn der Liebe Frankreichs. Ich hoffe, daß Frankreich nicht vergessen wird, daß ich nur für ihn abgedankt habe. Ich habe außerdem dies große Opfer dem Wohl der Nation dargebracht; nur unter meiner Dynastie kann sie hoffen, frei, glücklich und unabhängig zu sein. Lebet wohl! Frankreich gehören alle meine Wünsche!*)

Stille ward es, nachdem der Kaiser gesprochen. Mit gesenkten Häuptern standen die Deputirten da, die Größe des Moments, die hinreißende Gewalt der Stimme Napoleons hatte sie fortgerissen, kein Auge war trocken geblieben, in dem weiten Saal hörte man nur Weinen und Seufzen und alle diese von Thränen getrübten Blicke ruhten mit schmerzlicher Bewunderung auf dem bleichen ruhigen Antlitz des Kaisers.

Napoleon weinte nicht. Einen langen feurigen Blick ließ er an allen Anwesenden vorübergleiten, dann neigte

---

*) Des Kaisers eigene Worte. Siehe: Fleury VI. 31.

er leise sein Haupt, wandte sich um und verließ den Saal.

Die Thür fiel hinter ihm in's Schloß, — der Kaiser hatte der französischen Nation sein letztes Lebewohl gesagt!

Achtes Buch.

Malmaison und Helena.

I.

Der deutsche Brief.

Ein Courier von dem Befehlshaber der französischen Truppen, vom Marschall Davoust, war heute den dreißigsten Juni im Hauptquartier des Fürsten Blücher in La Valette, unweit Paris, eingetroffen und hatte dem Fürsten Blücher ein Schreiben des Marschalls überbracht.

Blücher hatte sich dieses Schreiben soeben von Gneisenau übersetzen lassen und dampfte jetzt nach beendeter Vorlesung große Rauchwolken aus seiner Pfeife hervor.

Na, sagte er nach einer langen Pause, wir haben ihn also mit Gottes Hülfe zum zweiten Mal glücklich runter gebracht von seinem Thron. Aber, ist es auch wahr, Gneisenau? Ist es auch nicht man bloß Verstellung und Rederei, bloß, damit wir mit langer Nase abziehen sollen? Können Sie mir Ihr Ehrenwort geben, Mann, daß Sie's glauben und daß der Bonaparte wirklich abgedankt hat?

Ja, Durchlaucht, sagte Gneisenau zuversichtlich, ich kann Ihnen mein Ehrenwort geben, Napoleon hat wirklich abgedankt, die Kammern haben eine provisorische Regierung ernannt, die aus Fouché, Carnot, Grenier, Caulaincourt und Quinette besteht und deren Präsidentschaft Fouché glücklich an sich gerissen hat. Diese provisorische Regierung hat alle Souverainetätsrechte des Throns in sich vereinigt, und herrscht jetzt über Frankreich mit unbedingten Vollmachten. Sie hat bereits ein neues Ministerium ernannt, und den Marschall Davoust zum Oberbefehlshaber der Truppen erhoben.

Und wo ist der Bonaparte?

Der hat, wie der Kourier meldet, gestern das Palais Elysée verlassen und sich nach Malmaison begeben.

Und diese übermüthigen Franzosen denken, wir werden mit ihnen Frieden und Freundschaft schließen, so lange dieser Mensch noch in Frankreich ist, und alle Tage wieder auftreten und sein scheußliches Unwesen wieder von vorn anfangen kann? Sie sollen uns erst den Bonaparte gebunden hierher bringen, ihn uns als Gefangenen übergeben, damit wir sehen, daß es ihnen Ernst damit ist, mit ihrer Vergangenheit zu brechen, dann nachher wollen wir sehen, was zu thun ist, und ob wir ihnen den Frieden schenken wollen, daß heißt, wenn sie uns erst 'ne gehörige Kriegscontribution gezahlt und uns vollständige Revanche gegeben haben. Aber zu allererst müssen sie uns den Bonaparte ausliefern.

Aber Durchlaucht, das hieße nicht allein das französische Volk, sondern auch diejenigen Souveraine, welche früher Napoleon als ihres Gleichen geehrt haben, zu sehr beschämen, das wäre selbst ein Verbrechen gegen Napoleon, der, was man auch immer von ihm sagen mag, doch jedenfalls ein Held und ein großer Feldherr ist und dem man jetzt in seinem Unglück wohl einige Ehrfurcht schuldig ist.

Na, rief Blücher zornig, das fehlt mir bloß noch, Ehrfurcht vor dem Bonaparte! Thun Sie mir den einzigen Gefallen, und bleiben Sie mir mit solchen schönen Redensarten vom Leibe, Sie ärgern mich und machen mich wüthend, und ich wär's im Stande und ritt mit 'nen paar Husarenregimentern nach Malmaison hin und holt mir den Bonaparte, ließ ihn in einen eisernen Käfig stecken und nähm ihn als 'n wilden Menschenfresser mit mir, blos um Euch und aller Welt zu beweisen, daß ich ganz und gar keine Ehrfurcht vor dem Kerl habe. Na, übrigens ist's mir lieb, Sie haben mich grade in die rechte Stimmung gebracht, um den hochnasigen aufgeblasenen Brief des Monsieur Davoust zu beantworten. Das ist auch Einer von Denen, die Deutschland mit Füßen getreten und so gethan haben, als hätt' der liebe Gott uns Deutsche man blos dazu geschaffen, den Herren Franzosen die Schuhriemen zu lösen und ihre gehorsamen Diener zu sein. Der Monsieur Davoust hat dazumal in Hamburg den kleinen Napoleon gemacht, und mit deutschem Hab und Gut, und mit deutscher Ehre und Gesinnung gespielt, als wenn's Billardbälle wären, die bloß zum Amusement für den Herrn Marschall da wären. Ist mir sehr lieb, daß ich dem Monsieur zu antworten hab' und einen rechtschaffenen, ehrlichen Brief will ich ihm antworten. Wollen Sie so gut sein, und mein Secretair sein, Gneisenau? Wollen Sie schreiben, was ich Ihnen diktire? Denn Sie wissen wohl, das Schreiben ist just nicht meine Sach', und wenn ich die Buchstaben aufs Papier male, so verfliegen mir dabei immer die besten Gedanken, und das Feuer geht mir aus, wie 'ner Pfeife, die man nicht anbläst. Das macht, mein Kopf denkt rascher, als meine Hand schreibt. Wollen Sie mir also den Gefallen thun und für mich schreiben?

Von Herzen gern, Durchlaucht, sagte Gneisenau, vor dem Tisch Platz nehmend, auf welchem das Schreibgeräth schon bereit gelegt worden.

Na, so schreiben Sie 'mal, rief Blücher, indem er mit dem kleinen Finger ein wenig in dem Kopf seiner Pfeife umherfuhr und dann einige kräftige Züge that. Der Herr Davoust will'n Waffenstillstand, nicht wahr, das steht in seinem französischen Brief?

Ja, Durchlaucht.

Er schreibt, die Ursache des Krieges sei hinweggeräumt, da Bonaparte dem Throne entsagt hätte, die verbündeten Mächte hätten das bereits auch anerkannt, Oesterreich hätte schon einen Waffenstillstand mit der provisorischen Regierung abgeschlossen, und ich würde eine große Verantwortung auf mich laden, wenn ich nicht auch bereit wäre, die Feindseligkeiten einzustellen. Nicht wahr, das steht Alles in dem Brief?

Ja, Durchlaucht, das steht darin.

Nanu wollen wir mal sehen, was in meinem Brief darauf zu antworten ist. Schreiben Sie, Gneisenau, nu frisch druf!

Und mit lauter, feuriger Stimme dictirte Blücher:

„Mein Herr Marschall! Es ist irrig, daß zwischen den verbündeten Mächten und Frankreich alle Ursachen

13*

zum Krieg aufgehört hätten, weil Napoleon dem Thron entsagt habe; dieser hat nur bedingungsweise entsagt zu Gunsten seines Sohnes, und der Beschluß der vereinigten Mächte schließt nicht allein Napoleon, sondern auch alle Mitglieder seiner Familie vom Thron aus. Wenn der österreichische General Frimont sich berechtigt geglaubt hat, einen Waffenstillstand mit dem ihm gegenüber stehenden feindlichen General zu schließen, so ist das kein Beweggrund für uns, ein Gleiches zu thun. Wir verfolgen unsern Sieg, und Gott hat uns Mittel und Wollen dazu verliehen. Sehen Sie zu, Herr Marschall, was Sie thun, und stürzen Sie nicht abermals eine Stadt in's Verderben; denn Sie wissen, was der erbitterte Soldat sich erlauben würde, wenn Ihre Hauptstadt mit Sturm genommen würde. Wollen Sie die Verwünschungen von Paris ebenso wie die von Hamburg auf sich laden? Wir wollen in Paris einrücken, um die rechtlichen Leute in Schutz zu nehmen gegen die Plünderung, die ihnen von Seiten des Pöbels droht. Nur in Paris kann ein zuverlässiger Waffenstillstand Statt haben. Sie wollen, Herr Marschall, dieses unser Verhältniß zu Ihrer Nation nicht verkennen. Ich mache Ihnen, Herr Marschall, übrigens bemerklich, daß, wenn Sie mit uns unterhandeln wollen, es sonderbar ist, daß Sie unsere mit Briefen und Aufträgen gesendeten Offiziere gegen das Völkerrecht zurückhalten. In den gewöhnlichen Formen übereinkömmlicher Höflichkeit habe ich die Ehre, mich zu nennen, Herr Marschall, Ihr dienstwilliger —"*)

Na nu, sind wir fertig, Freund! sagte Blücher, unterzeichnen will ich selbst. Aber erst sagen Sie mal, Gneisenau, was denken Sie von meinem Antwortschreiben an Monsieur Davoust?

Wenn ich die Wahrheit sagen soll, Durchlaucht, so finde ich dasselbe etwas sehr rauh und herbe, ja, grade heraus, etwas ungroßmüthig.

Ist auch durchaus nicht meine Absicht, den Großmüthigen spielen zu wollen, rief Blücher, und wenn mein Brief rauh und herbe ist, so ist er just so, wie Monsieur Davoust in Person gewesen ist, als er in Hamburg war, und mein Brief soll so bleiben. Nu, geben Sie mal her Ihre Feder, nun will ich noch meinen Namen drunter schreiben, und dann schicken wir meinen Liebesbrief ab.

Durchlaucht vergessen, daß ich den Brief vorher

*) Varnhagen von Ense: Biographische Denkmale. Fürst Blücher. 467.

erst übersetzen muß, und daß Sie nicht nöthig haben, unter das Concept Ihren Namen zu setzen. Ich werde Ihnen nachher die französische Uebersetzung vorlegen, und nur diese haben Sie nöthig zu unterzeichnen.

Was? Sie wollen den Brief in's Französische übersetzen? rief Blücher.

Natürlich, Durchlaucht. Wir können doch einem Franzosen nicht zumuthen, daß er einen deutschen Brief verstehen soll?

Na, und warum können wir ihm das nicht zumuthen? schrie Blücher hochroth vor Zorn. Herr Gott im Himmel, was wir Deutsche doch immer für demüthige Fuchsschwänzer und unterthänigste Duckmäuser sind! Wir können's andern Völkern nicht zumuthen, daß sie unsere Sprache kennen, um uns zu verstehen, und darum lernen wir ganz gehorsamst ihre Sprachen, um sie zu verstehen. Sagen Sie mal, Mann, Gneisenau, sind Sie denn auch 'n vornehmer Diplomat und Hofmann geworden, daß Sie mit den Franzosen so sauber und höflich umgehen wollen? Ich sag' Ihnen, es wird nichts daraus, und dies Mal sollen die Franzosen den Blücher kennen lernen. Ich frage Sie, in welcher Sprache hat der Herr Davoust denn an mich geschrieben?

Nun, natürlich in französischer Sprache, Durchlaucht.

So, das finden Sie natürlich, daß der Franzose an einen Ausländer, an einen Deutschen in französischer Sprache schreibt, der Franzose hat das Recht dazu? Na, dann habe ich auch das Recht, ihm in meiner Sprache zu antworten, und als Deutscher an den Ausländer, den Franzosen in deutscher Sprache zu schreiben. Er mag meinetwegen vornehm die Nase rümpfen, und sagen: „der Kerl, der Blücher, ist so dumm und ungebildet, daß er nicht einmal französisch versteht, und mir in seiner Muttersprache schreibt." Ich rümpfe auch die Nase, und sage: „der Kerl, der Davoust ist so dumm und ungebildet, daß er nicht einmal deutsch versteht, und mir in seiner Muttersprache schreibt." Es bleibt dabei, Gneisenau, schreibt er mir französisch, weil's ihm so bequem ist, so antwort' ich ihm deutsch, weil's mir so bequem ist. Es wär' uns Deutschen allzeit her viel nützlicher gewesen, wenn wir weniger Zeit darauf verwandt hätten, französische Vocabeln zu lernen, sondern lieber unsere eigene deutsche Sprach' und unser deutsches Wesen mehr im Aug' behalten hätten.

Ja, das ist wahr, rief Gneisenau, unser edle und

tapfere Fürst Blücher hat heute, wie immer Recht. Er ist ein deutscher Held und er vertheidigt deutsche Ehre und deutsches Recht in Allem, was er thut. Es ist wahr, wir Deutsche sind es gewohnt, daß wir uns den andern Völkern unterordnen, daß wir gar nicht den Muth haben zu verlangen, sie sollen unsere Sprache lernen, sondern bescheidentlich uns bemühen, in ihrer Sprache mit ihnen zu reden. Mein edler Blücher hat Recht, es ist würdiger, den Herren Franzosen, die französisch geschrieben, eine deutsche Antwort zu geben. Freilich, die Herren Franzosen werden uns deshalb der Unhöflichkeit zeihen und die Herren Diplomaten werden die Achseln zucken.

Lassen Sie sie zucken, bis sie meinetwegen bucklicht werden, sagte Blücher fröhlich. Ich will Ihnen was sagen, Gneisenau, ich hab' mir zugeschworen, daß ich die Franzosen lehren will, Respect vor uns Deutschen zu haben, und daß ich ihnen alles das vergelten will, was sie uns gethan haben. Nicht aus Bosheit und Rache, sondern um unsere Ehre zu retten und um den Franzosen zu beweisen, daß wir Deutsche auch eine Nation sind, und daß wir wieder treten, wenn man uns getreten hat. Und dazu hat mich der liebe Gott so lange leben lassen, daß ich Deutschland in Achtung und Ansehen bringen soll. Vorig Jahr, da war's meine Aufgabe, Deutschland zu befreien vom französischen Joch, aber dies Jahr da bin ich hergeschickt, Deutschland zu rächen und unsere Ehre rein zu waschen von den Flecken, die noch immer drauf sitzen. Darum ist's nicht genug, daß wir den Bonaparte verjagen, sondern wir müssen auch unsere Genugthuung haben von der französischen Nation, wir müssen sie lehren, wie weh es thut, getreten, mißachtet und verhöhnt zu werden. Wir müssen Vergeltung üben, denn dazu hat uns der liebe Gott hierher geschickt. Und darum will ich auch nicht wieder umkehren, sondern vorwärts will ich, vorwärts nach Paris. Die Franzosen müssen ebenso gut gedemüthigt werden, als der Bonaparte, sie sind ein übermüthiges Volk und müssen klein gemacht werden wie ihr übermüthiger Bonaparte. Als sie die Herren in Deutschland waren, da haben sie uns gerupft und zerfetzt, und immer zu ihrer Entschuldigung das Eroberungsrecht angeführt. Na, nun sind wir Herren in Frankreich, und nun wollen wir auch'n bischen rupfen und zerfetzen. Das Eroberungsrecht erlaubt es uns. Kein Pardon für die Franzosen! Sie müssen geduckt werden! Sie müssen erkennen, daß der liebe Gott gerecht ist, und daß, wie einst die Franzosen Herren in

Deutschland waren, die Deutschen jetzt Herren in Frankreich sind! — In dieser Nacht noch, Gneisenau, wollen wir aufbrechen.

Ohne vorher mit Wellington und dem englischen Heer uns vereinigt zu haben?

Ja, ganz auf unsere eigene Hand, Gneisenau, wollen wir vorwärts. Der Wellington ist mein lieber Freund und Bruder, aber er ist mir zu fein, er möcht's auch mit keinem Menschen verderben, möcht' den Franzosen noch lange Zeit lassen zu überlegen und zu berathschlagen, ob sie so gütig sein wollen und uns nach Paris rein lassen, möcht' ihnen Zeit lassen, sich in Gutem mit uns zu verständigen. Ich will mich aber nicht in Gutem verständigen, ich will sie zwingen, Raison anzunehmen, und darum rück' ich rasch vorwärts und zwinge Wellington dadurch, mir zu folgen und auch vorwärts zu rücken. Diese Nacht noch müssen wir bei Saint Germain über die Seine, denn die Franzosen sind sonst im Stande und zerstören uns die Brücke und dann haben wir's Nachschauen und können nicht hinüber, Wir müssen aber über die Seine, um nach Paris zu kommen, denn um die Stadt zur Uebergabe zu zwingen, müssen wir ihr die Zufuhr der Lebensmittel aus der Normandie abschneiden.

Aber, Durchlaucht, dadurch kommt das preußische Heer in Gefahr, abgeschnitten zu werden und es tritt eine Trennung der verbündeten Heere ein, die gefährlich werden kann, wenn die Franzosen sie zu benutzen verstehen.

Ach, was Trennung, brummte Blücher. Wir werden Alle einer hinter dem Andern so rasch als möglich rüber gehen über die Seine. Der Thielmann mit seinem Heer geht zuerst herüber. Dann folgt Zieten mit seinen Truppen, und während der Zeit hat sich der Bülow gesputet und ist auch heranmarschirt, geht dann auch rasch über die Brücke, und dann sind wir Alle beisammen, und dann geht's nach Paris. Hurrah! Auf Paris! Die Franzosen sollen uns kennen lernen! Das Parlez-vous hat aufgehört und von jetzt an wird deutsch mit den Franzosen gesprochen! Gneisenau, schicken Sie meinen deutschen Brief ab, und diese Nacht geht's über die Seine. Ich muß nach Paris, ich bin ein prächtiger Sprachmeister und die Franzosen sollen deutsch von mir lernen!

II.

In Malmaison.

Das Opfer war vollbracht! Zum zweiten Mal hatte Napoleon seine Krone niedergelegt, zum zweiten Male war er von dem Thron hernieder gestiegen und er fühlte jetzt, daß er dies Mal für immer mit seiner Vergangenheit abgeschlossen habe, daß keine Rückkehr mehr möglich sei. Es war zu Ende mit den Tagen des Glanzes und des Ruhmes, zu Ende mit seiner Kaiserherrlichkeit!

Seine ganze Vergangenheit, seine Krone, seine Macht, Alles das war in Paris zurückgeblieben, und nur als armer General war Bonaparte heimgekehrt nach Malmaison, nach diesem Schloß, in welchem er als Consul an der Seite seiner Josephine so schöne und glückliche Tage verlebt hatte, nach diesem Schloß, in welchem seine von ihm verlassene Gemahlin gestorben war vor Gram, aber mit dem letzten Hauch ihrer erbleichenden Lippen ihn gesegnet hatte.

Daran dachte er eben, als er einsam und allein in seinem Cabinet vor dem lebensgroßen Bilde Josephinens stand, das mit mildem Lächeln, mit sanften Engelsblicken zu ihm niederschaute. Zu ihr emporblickend erinnerte er sich ihrer Liebe, ihrer Güte und der vielen Thränen, die sie um ihn geweint.

Josephine, sagte er leise, Du bist gerächt. Alle Deine Prophezeihungen sind eingetroffen. Als ich Dich verließ, erbleichte mein Stern, verließ ich meinen guten Engel und gab den Dämonen Gewalt über mich. Sie haben mich zu Grunde gerichtet, vom Thron hernieder geschleudert und zerschmettert, und so kehre ich zurück, gelähmt an allen Gliedern, ein armer verlassener Mann. Bist Du nun zufrieden, Josephine? Wirst Du dem Heimkehrenden jetzt vergeben?

Er starrte zu dem Bilde empor, so lange, so unverwandt, bis seine Augen sich umdüsterten, bis sie sich wie mit einem feuchten Schleier umhüllten, und durch diesen Schleier hindurch glaubte er zu sehen, wie Josephine ihm zunickte, wie sie ihn grüßte mit einem seligen Lächeln.

Mit einer hastigen Bewegung ließ Napoleon seine

Hand über seine Augen dahin fahren und trat von dem Bilde zurück.

Ich ersticke in dieser Einsamkeit und Stille, die mich hier umgiebt, sagte er verzweiflungsvoll. Es ist mir, als ob die Mauern dieses Schlosses über mir zusammenfallen sollten. Oh, thäten sie es doch, zerschmetterten sie mich doch! Es wäre besser, als hier so unthätig, so dumpf seine Tage dahinschleichen zu sehen! Ah, aber was ist das? Da höre ich endlich ein Geräusch, ein Zeichen des Lebens!

Und eiligen Schrittes näherte er sich der Thür und horchte. — Wirklich, da draußen im Vorsaal wurden jetzt laute, streitende Stimmen hörbar. Man sprach heftig, zürnend im verworrenen Geräusch durcheinander.

Deutlich erkannte der Kaiser jetzt die Stimme des Generals Gourgaud, deutlich hörte er ihn sagen: niemals, so lange ich lebe, soll irgend eine frevelnde Hand den Kaiser berühren dürfen. Mit meinem letzten Blutstropfen werde ich ihn vertheidigen, das schwöre ich!

Das schwöre auch ich! rief General Bertrand.

Wer die Schwelle dieser Thür überschreiten will, der muß erst mich tödten, rief Savary.

Der Kaiser stand noch immer an der Thür und

horchte, und diese Liebesbetheuerungen seiner Getreuen riefen ein sanftes Lächeln auf seine Lippen.

Ah, murmelte er leise, ich habe wenigstens noch einige Freunde, welche mich nicht verlassen werden.

Jetzt hörte er da draußen eine ihm fremde Stimme, welche betheuerte, daß man gar nichts Böses gegen den Kaiser unternehmen wolle. Dann wieder vernahm er die Stimme der Königin Hortense, welche mit dem Ausdruck des Entsetzens fragte: was geschehen solle, was diese bloßen Schwerter, diese zornigen Angesichter im Vorsaal des Kaisers zu bedeuten hätten?

Man will den Kaiser verhaften, hörte er Gourgaud mit vor Wuth zitternder Stimme sagen.

Ah, man will mich verhaften, rief der Kaiser, und mit einem raschen Stoß öffnete er die Thür, und erschien mit seinem ernsten bleichen Antlitz auf der Schwelle.

Der Kaiser! riefen Savary, Gourgaud und Bertrand, und mit entblößten Schwertern stürzten sie zu ihm hin, und stellten sich zu beiden Seiten der Thür auf.

Der Kaiser! sagte Hortense, und zu ihm hineilend nahm sie seine Hand und drückte sie an ihre Lippen.

Napoleons ernster, klarer Blick aber war auf den General hingerichtet, der da drüben bleich und zitternd an der Thür stand, nicht wagend, die Augen zu dem Kaiser zu erheben, oder sich ihm zu nähern.

General Graf Becker, nicht wahr, so heißen Sie? fragte der Kaiser nach einer Pause.

Ja, Sire, sagte der Angeredete, Ew. Majestät haben die Gnade, Sich meiner zu erinnern.

Und Sie sind hierhergekommen, um mich zu verhaften?

Nein, Majestät, niemals würde ich einen so entehrenden und unwürdigen Auftrag angenommen haben. Diese Herren hier wollten mich nicht anhören; es war ein Mißverständniß, das ich vergeblich aufzuklären versuchte. Der Zweck meiner Sendung ist nicht, Ew. Majestät zu verhaften, sondern über die Sicherheit Ihrer erhabenen Person zu wachen, die unter den Schutz der Ehre der Nation gestellt ist.

Und wer hat Ihnen diesen Auftrag ertheilt, General?

Die provisorische Regierung, Sire. Hier ist das Dekret, welches mich zum Commandanten der Garde Ew. Majestät ernennt, und mir befiehlt, mich nach Malmaison zu verfügen.

Er reichte dem Kaiser ein mit großen Siegeln versehenes Papier dar, das dieser mit raschen Blicken überlas.

Ja, mein Herr, ich sehe, daß Sie die Wahrheit sagen. Die fünf Kaiser von Paris haben Sie hieher gesandt, rief Napoleon, Sie sollen, wie hier geschrieben steht, für die Sicherheit der Person Napoleons Sorge tragen, und die Uebelwollenden verhindern, daß sie sich seines Namens bedienen, um Unruhen zu veranlassen.*)

Oh, rief Hortense mit hervorstürzenden Thränen, dahin also ist es gekommen, daß der Kaiser in Malmaison Gefangener der Franzosen ist.

Ruhig, Hortense, weinen Sie nicht, sagte Napoleon. Sie sehen wohl, wie peinlich dem armen General die Charge ist, die man ihm übertragen. Machen wir ihm dieselbe nicht schwerer. General, ich heiße Sie willkommen, und ich fordere von den anwesenden Herren, daß sie die Mission und die Person des Generals Becker ehren.

Sire, rief der General mit Thränen in den Augen, Ihre Güte zerschmettert mich. Könnten Sie in meinem Herzen lesen, Sie würden sehen, daß darin nur Ehrerbietung und Bewunderung für die erhabene Person Ew. Majestät lebt. Ich nahm die schwierige Sendung an, welche die provisorische Regierung mir im Namen

*) Fleury. IV. 65.

der Nation übertrug, ich nahm sie an, damit sie nicht einer weniger ergebenen und ehrerbietigen Person übertragen werde.

Und was hat Ihnen die provisorische Regierung weiter für Befehle ertheilt? Hat sie Ihnen keine Aufträge für mich gegeben?

Sire, die provisorische Regierung läßt Ew. Majestät beschwören, so rasch als möglich Frankreich zu verlassen, Alles zu Ihrer Abreise bereit zu halten, damit, sobald die provisorische Regierung Ew. Majestät die nöthigen Pässe und Sicherheits-Papiere sendet, Ew. Majestät sofort nach Rochefort abreisen, wo schon zwei Schiffe bereit liegen, um Ew. Majestät dahin zu führen, wohin Sie gehen wollen.

Es ist gut, wir werden abreisen, sobald die Zeit gekommen ist! sagte Napoleon, leise das Haupt neigend. Dann trat er in sein Cabinet zurück, aber bevor er die Thür schloß, wandte er sein Antlitz noch einmal zurück und winkte Maret, ihm zu folgen.

Der Herzog von Bassano eilte herbei, und trat mit dem Kaiser in sein Cabinet ein.

Maret, sagte Napoleon schwer aufseufzend, ich ersticke, ich muß fort. Ich will zurückkehren nach Paris.

Sire, nach Paris, wo Ihre Feinde sind, rief Maret entsetzt.

Nach Paris, wo meine Soldaten sind, sagte Napoleon mit blitzenden Augen. Ich habe abgedankt, um das Vaterland zu retten, und zu Gunsten meines Sohnes. Aber jetzt sehe ich, daß das Vaterland verloren ist, wenn ich ihm nicht zu Hülfe komme, daß mein Sohn nicht zu seinem Thron gelangt, wenn ich ihn nicht auf demselben einsetze. Maret, ich weiß, daß der Feind auf Paris marschirt, und statt ihm mit einer Armee, die aus den Trümmern meines Heers, aus der Nationalgarde, den Föderirten und Rekruten zusammengesetzt werden muß, entgegen zu ziehen, unterhandeln diese Menschen, demüthigen sich, und entehren Frankreich. Ich will nach Paris. Wenn mein Thron wirklich verloren ist, so will ich ihn lieber auf dem Schlachtfelde verlieren, als hier. Ich kann für Euch Alle, für meinen Sohn und für mich nichts Besseres thun, als daß ich mich meinen Soldaten in die Arme werfe. Meine Erscheinung wird die Armee electrisiren, sie wird die Fremden niederschmettern. Sie werden erkennen, daß ich nur auf das Terrain zurückgekehrt bin, um sie entweder unter meine Füße zu treten, oder zu sterben; sie werden, um nur von mir befreit zu werden, Euch

14*

Alles bewilligen, was Ihr nur fordern mögt. Wenn Ihr statt dessen mich hier in Malmaison müßig an meinem Degen kauen laßt, werden sie Euch verspotten, und Euch zwingen, Ludwig den Achtzehnten ehrerbietigst, mit dem Hut in der Hand zu empfangen! Wir müssen endlich ein Ende machen. Wenn Eure fünf Kaiser mich nicht wollen, so will mich doch die Armee. Ich habe nur nöthig, mich zu zeigen, und Paris und die Armee werden mich zum zweiten Mal als ihren Befreier willkommen heißen!*)

Ach, Sire, seufzte der Herzog von Bassano, die Armee würde Sie willkommen heißen, aber sie ist jetzt der kleinste und der schwächste Theil der Nation, und sie würde selbst unter Ihrer Anführung nicht alle die feindlichen Armeen bezwingen können, welche von allen Seiten heranziehen, wenn die Nation sich nicht für Ew. Majestät erhebt, und die Armee unterstützt. Das Volk aber hat seine Vertreter, und seine Sprecher in den Kammern, und diese Kammern würden sich, sobald Sie nach Paris kämen, gegen Ew. Majestät erklären, vielleicht würden sie es sogar wagen, Sie außerhalb des Gesetzes zu erklären. Außerdem aber, Sire, wenn nun das Glück Sie nicht begünstigte, wenn Sie mit

*) Napoleons eigene Worte. Siehe: Fleury. IV. 75.

Ihrer Armee der Uebermacht erlägen, was sollte aus Frankreich werden? Was würde das Loos Eurer Majestät sein? Der Feind würde sich berechtigt halten, seinen Sieg auszubeuten, und Ew. Majestät würden sich vielleicht vorwerfen müssen, den Untergang Frankreichs verschuldet zu haben.

Es ist wahr, seufzte der Kaiser, ich sehe es wohl, man muß immer nachgeben.

Er senkte sein Haupt tiefer auf seine Brust und stand düster sinnend da.

Sie haben Recht, sagte er dann rasch sein Haupt wieder emporhebend, ich kann nicht die Verantwortlichkeit für ein so gewagtes Unternehmen auf mich laden. Ich muß warten bis die Stimme des Volkes, der Soldaten, der Kammern mich ruft. Aber warum verlangt Paris nicht nach mir? Man will es also nicht sehen, daß die Alliirten Euch meine Abdankung gar nicht anrechnen? Daß sie in ihrer Feindschaft gegen Frankreich fortfahren, obwohl sie erklärt hatten, nur Mir allein den Krieg machen zu wollen? Wenn die Pariser, wenn meine Soldaten das endlich erkennen, so werden sie mich rufen, und gebe Gott, daß es dann noch nicht zu spät ist, daß es dann noch in meiner Macht steht, Frankreich zu retten, und —

Die Thür des Vorsaals ward geöffnet, und General Gourgaud erschien auf der Schwelle.

Sire, sagte er, ein Courier aus Paris, der Ew. Majestät dringend zu sprechen wünscht, und den der Marine-Minister an Ew. Majestät abgesandt hat.

Ah, Maret, rief Napoleon mit freudestrahlenden Augen, sehen Sie wohl, meine Hoffnungen erfüllen sich schon, und die Botschaft, die ich erwartete, ist vielleicht schon hier! Lassen Sie den Courier eintreten, Gourgaud.

Einige Minuten später trat ein Marine-Officier in das Cabinet, in welchem Napoleon und Maret ihn erwarteten.

Sire, sagte er, mich sendet der Marine-Minister Graf Decrès. Er läßt, im Namen der provisorischen Regierung Eurer Majestät melden, daß der Feind bereits bis Compiègne vorgedrungen ist, daß die erste Heeresabtheilung Blücher's die Seine überschritten hat, —

Und Wellington, rief Napoleon ungestüm, Wellington steht noch jenseits der Seine?

Ja, Sire, bis jetzt steht er noch jenseits. Aber er wird ohne Zweifel sofort mit seiner Armee nachrücken, und auf Paris marschiren. Die provisorische Regierung zittert daher für die Sicherheit Eurer Majestät.

Sie dispensirt Eure Majestät deshalb davon, die Paß- und Sicherheits-Papiere zu erwarten, und wünscht, daß Ew. Majestät so schnell als möglich incognito abreisen möchten.

Das ist Alles, was Sie mir zu sagen haben? fragte Napoleon düster.

Ja, Sire, es ist Alles, nur soll ich von dem Herrn Marine-Minister noch hinzufügen, daß er Ew. Majestät beschwört Ihre Abreise nicht länger zu verzögern, damit nicht die Engländer Zeit gewinnen, den französischen Hafen zu blokiren, bevor Ew. Majestät ihn mit den bereit liegenden Schiffen verlassen haben.

Napoleon seufzte tief auf und wandte sich ab, um sein zuckendes Antlitz nicht sehen zu lassen. Es ist gut, sagte er, ich werde abreisen. Gehen Sie, sagen Sie das dem Marine-Minister.

Er winkte heftig mit der Hand nach der Thür hin, und sank dann, als der Bote hinausgegangen war, mit einem dumpfen Schmerzenslaut auf den Lehnstuhl nieder.

Es ist zu Ende, murmelte er, ich will mich nicht mehr sträuben, ich will abreisen! Ich —

Plötzlich zuckte der Kaiser zusammen, sein bleiches Antlitz röthete sich, sein blitzendes Auge wandte sich mit forschendem Ausdruck dem Fenster zu.

Er hatte da einen Ton gehört, der alle Fibern seines Herzens leben machte, er hatte den Donner einer Kanone gehört.

Und jetzt wieder und noch einmal rollte der Donner daher.

Sie kämpfen, schrie Napoleon, der Feind ist da, meine Armee schlägt sich, — und ich, oh, ich! — Er schlug seine Fäuste gegen seine Brust, daß sie dröhnend wiederhallte, er stieß Worte der Verwünschung, des Zorns, des Schmerzes aus, er achtete es nicht, daß seine Augen sich mit Thränen füllten, daß sie über seine bleichen Wangen nieder rollten. Er hörte nur den fernen Donner der Kanonen, und wie ein Schlachtroß bäumte sich sein Herz in seiner Brust auf, und Alles in ihm schrie und jauchzte: hinaus! hinaus! Die Schlacht hat begonnen, der Feind ist da! Hinaus zur Schlacht!

Und er war ein Gefangener, er war nicht mehr der Feldherr, der Kaiser! Er konnte seine Armee nicht mehr zum Ruhm, zum Sieg führen. Er war ein Gefangener! Er konnte das Vaterland nicht mehr retten!

Aber ich will es retten, ich muß es retten, rief er auf einmal mit entschlossenem Ton. Das Vaterland ist in Gefahr, es ruft mich mit diesen Kanonen, ich muß es retten. Maret, gehen Sie, rufen Sie mir den General Becker hierher. In einer Viertelstunde erwarte ich ihn hier! Ertheilen Sie Befehl, daß sogleich ein Caleschwagen angespannt werde und vorfahre.

Als nach einer Viertelstunde der General in das Cabinet des Kaisers eintrat, stand dieser vor dem Tisch, auf welchem seine Landcharten ausgebreitet lagen. Neben der Karte lag ein offener Brief. Napoleons Angesicht war jetzt wieder ruhig, ernst, kein Zug desselben verrieth die Stürme, welche eben erst über dasselbe hingezogen waren. —

General, sagte Napoleon, kommen Sie hierher. Sehen Sie die Nadeln auf dieser Karte an. Sehen Sie, hier bei Compiègne und Senlis hier steht der Feind. Er hat einen großen Fehler begangen, er hat seine Kräfte getheilt. Hier diesseits der Seine steht Blücher mit einem Theil seiner Armee, und drüben jenseits der Seine steht sein anderer Heertheil, steht Wellington mit seiner Armee. Jetzt ist der Moment gekommen, um Blücher anzugreifen. Aber keine Stunde darf verloren werden. Man muß vor allen Dingen die Brücke bei Saint Germain sofort abbrechen, um den weiteren Uebergang der feindlichen Armeen zu hindern, dann ist Blücher mit seinem schon auf dem linken Seine-Ufer stehenden Armee-Corps abgeschnitten, man muß ihn zur Schlacht zwingen und man wird ihn vernichten. Läßt man ihn hingegen ungehindert vorschreiten, so wird er morgen vor Paris stehen. Ich begreife die Verblendung des Gouvernements nicht. Man muß entweder ein Narr oder ein Vaterlandsverräther sein, um noch an dem Uebelwollen und der Treulosigkeit der Alliirten zweifeln zu können. Diese Leute in Paris verstehen nichts von den Geschäften, nichts vor allen Dingen vom Kriege.

Es ist wahr, seufzte General Becker, die Gefahr ist groß.

Sie sehen es ein? rief Napoleon lebhaft, Sie sehen, daß Alles verloren ist, wenn nicht sofort energisch eingeschritten wird? Sie begreifen, daß ich Frankreich zu Hülfe kommen muß? Oh, erschrecken Sie nicht, ich verlange nicht mehr Kaiser zu sein, ich will Frankreich dienen als General, als Soldat. Ich will noch einmal die Armee commandiren, ich will das von der provisorischen Regierung fordern. General, ich will Sie mit dieser Botschaft an die Regierung senden!

Mich, Ew. Majestät? fragte General Becker, entsetzt einen Schritt zurücktretend. Aber Ew. Majestät wissen, daß ich Befehl habe, in Malmaison, in der Nähe Ew. Majestät zu bleiben, bis zu Ew. Majestät Abreise.

Ich aber, rief Napoleon gebieterisch, ich befehle Ihnen, die Botschaft zu erfüllen, die ich Ihnen übertragen will. General, Sie dürfen nicht zaudern, denn es handelt sich um das Wohl des Vaterlandes! Wollen Sie Sich demselben feindlich widersetzen?

Nein, Sire, sagte der General ehrfurchtsvoll, Ew. Majestät rufen mich im Namen des Vaterlandes, Sie rufen mich mit einer Stimme, welche die Armee, der ich angehöre, oft zu Kampf und Sieg geführt. Ich gehorche Eurer Majestät! Was auch für mich die Folgen davon sein mögen, ich gehorche.

Napoleons Augen blitzten höher auf und ein Schimmer von Genugthuung erhellte seine Züge.

Sie werden auf der Stelle nach Paris gehen, sagte er, ein Wagen steht schon für Sie bereit. Sie werden der provisorischen Regierung einen Brief von mir übergeben. Sie werden es ihr begreiflich machen, daß es nicht meine Absicht ist, die Macht wieder an mich zu reißen; daß ich nur den Feind schlagen, vernichten, ihn durch einen Sieg zwingen will, den Verhandlungen eine günstigere Wendung zu geben; daß, wenn ich diesen großen Zweck erreicht habe, ich sofort abreisen und Frankreich verlassen werde.*) Gehen Sie, General,

*) Napoleons eigene Worte. Siehe: Fleury. IV. 70.

ich zähle auf Sie. Hier ist der Brief! Lesen Sie ihn, damit Sie seinen Inhalt kennen und wissen, daß er mit dem übereinstimmt, was ich Ihnen mündlich aufgetragen. Lesen Sie laut, ich will hören, ob man meine Handschrift entziffern kann.

General Becker nahm den dargereichten Brief und las: „An die Commission des Gouvernements.

„Indem ich abdankte, habe ich nicht verzichtet auf das edelste Recht des Bürgers, das Recht, mein Vaterland zu vertheidigen."

„Die Annäherung der Feinde an die Hauptstadt läßt keinen Zweifel mehr an ihrer Absicht, ihrer Treulosigkeit."

„Unter diesen ernsten Umständen biete ich dem Vaterlande meine Dienste an als General, indem ich mich noch immer als den ersten Soldaten des Vaterlandes betrachte." *)

Jetzt eilen Sie, General, sagte Napoleon, erinnern Sie sich, daß ich Sie mit Ungeduld erwarte, und daß das Vaterland meiner bedarf! —

General Becker nahm den Brief, den Napoleon selber zuvor adressirt und gesiegelt hatte, und eilte von

*) Fleury VI. S. 70.

dannen. Wenige Minuten später verkündete das Fortrollen eines Wagens von dem Schloßhof dem Kaiser, daß der General seine Mission angetreten habe.

Das Angesicht des Kaisers erhellte sich, er athmete hoch auf, und ein seltener, freudiger Ausdruck sprach aus seinen Zügen.

Er rief seine Generäle herbei, und befahl ihnen, sich selber zur Abreise bereit zu halten, ihre Uniformen anzulegen, für sich selber, und für ihn alle nöthigen Vorbereitungen zu treffen. Er befahl, seine Schlachtrosse satteln zu lassen und seine Feldequipage bereit zu halten, und zog sich dann in sein Landchartenzimmer zurück, das er hinter sich verschloß.

Der Kaiser will sich zur Armee begeben, flüsterten die Herzoge und Generäle untereinander. Er will die Abwesenheit des Generals Becker benutzen, um seine Freiheit wieder zu gewinnen. Seine Pferde sind schon gesattelt, und wenn General Becker zurückkommt, wird der Kaiser mit uns schon lange zuvor Malmaison verlassen haben.

Sie trafen eiligst die nöthigen Vorbereitungen, und begaben sich dann in den Vorsaal, den Ruf des Kaisers erwartend, um mit ihm zu Pferde zu steigen.

Aber der Kaiser rief nicht; drei Stunden waren

schon vergangen, und noch immer verweilte Napoleon in seinem Cabinet, und noch immer harrten die Generäle vergeblich seines Rufes.

Jetzt vernahm man das Rollen eines Wagens, er hielt vor dem Schloß an, — jetzt öffnete sich die Thür des Vorsaals und General Becker trat herein.

Die Gesichter aller Generäle erblaßten, und Seufzer hoben ihre Brust. Jetzt war es zu spät. Napoleon konnte nicht mehr entfliehen!

Aber der Kaiser hatte auch nicht entfliehen wollen! Nicht einen Moment war ihm der Gedanke gekommen, das Vertrauen des Generals Becker zu täuschen, und in seiner Abwesenheit, ohne Zustimmung des Gouvernements, Malmaison zu verlassen, und zur Armee abzugehen.

Er saß in seinem Cabinet auf dem Fauteuil vor dem Landchartentisch, als General Becker zu ihm eintrat.

Ein flammender Blick Napoleons traf das blasse, verlegene Antlitz des Generals, und sagte ihm, daß seine Sendung vergeblich gewesen.

Mit einem tiefen Seufzer nahm er das Antwortsschreiben der Commission, das Becker ihm schweigend darreichte. Aber Napoleons Angesicht war jetzt wieder ganz ruhig und undurchdringlich, langsam, ohne irgend einen Schein von Aufregung und Ungeduld, erbrach er das Siegel, schlug den Brief auseinander und las.

Dann wandte er mit einer stolzen Bewegung voll Ruhe und Würde sein Haupt nach dem General hin.

Sie haben meinen Vorschlag zurückgewiesen, sagte er. Ich war leider überzeugt davon, diese Leute haben keine Energie. Nun, da es so ist, General, reisen wir ab! Ordnen Sie Alles an! Morgen früh reise ich! Sagen Sie es da draußen! Morgen früh reise ich!

Nun hob er den Blick langsam zum Himmel empor. Alles ist zu Ende, rief er schmerzvoll, Frankreich ist verloren! Ich kann es nicht mehr erretten! Ich reise ab!

III.

Der Abschied.

Der Morgen des neun und zwanzigsten Juni, der Tag des Abschieds war herangekommen. Heute wollte Napoleon abreisen, wollte er Malmaison verlassen, um nach Rochefort zu gehen, in dessen Hafen zwei von der provisorischen Regierung ihm zur Verfügung gestellte Schiffe ihn erwarteten.

Heute wollte Napoleon für immer Malmaison verlassen, die Erinnerungsstätte seines Glückes, seiner Jugend, seiner Liebe. — Alle Vorbereitungen waren beendet, am Abend des gestrigen Tages schon hatte der Kaiser die letzten Abschiedsbesuche angenommen, heute sollte kein Fremder mehr vorgelassen werden, heute wollte der Kaiser nur noch seiner Familie, seinen nächsten Freunden ein letztes Lebewohl sagen.

Drunten im Hof standen schon die Equipagen bereit, weinende Diener umgaben sie, weinend gingen alle Bewohner des Schlosses von Malmaison umher, jedes Herz fühlte sich bedrückt und trauervoll, jeder empfand die melahcholische Größe dieser Stunde, in welcher der Kaiser Abschied nahm von seiner Vergangenheit, seinem Thron und seinem Vaterland.

Napoleon allein war ruhig, unbewegt. Keine Klage kam jetzt mehr über seine Lippen, keine Thräne feuchtete mehr sein Auge. Er hatte sein Geschick angenommen, und er trug es wie ein Held, mit erhobenem Haupt, mit wolkenloser Stirn, mit flammendem Blick.

Er befand sich in seinem Cabinet. Dort wollte er die letzten Grüße seiner Verwandten entgegennehmen, dort war jetzt die Königin Hortense bei ihm mit ihren beiden Söhnen.

Sie wollen mir also nicht erlauben, mit Ihnen zu gehen? flüsterte Hortense unter Thränen. Sie wollen mir, Ihrer Tochter, der Tochter Josephinen's nicht das heilige Recht geben, Ihre Verbannung mit Ihnen zu theilen, und an Ihrer Seite zu bleiben in den Tagen des Unglücks?

Nein, Hortense, sagte Napoleon ernst, Sie haben Söhne, Sie müssen Ihren Söhnen leben!

Sire, meine Söhne würden mit mir gehen. Unter Ihren Augen würden Sie leben, die Nähe Ihres erhabenen Ruhms, Ihres erhabenen Unglücks würde sie befeuern zu großen Thaten, zu großen Gedanken, würde sie zu Männern, zu Helden erziehen.

Es darf nicht sein, Hortense, rief der Kaiser, Sie müssen hier bleiben. Nur Eine Frau hat das Recht und die Pflicht mir zu folgen, — aber diese Eine habe ich seit einem Jahr vergeblich erwartet! — Ich zürne ihr nicht, ich vergebe ihr. Aber die Stelle, die sie an meiner Seite leer gelassen, darf von keiner andern Frau, selbst von Ihnen nicht, ausgefüllt werden. Bleiben Sie, Hortense, bleiben Sie! Und jetzt hören Sie mein letztes Wort, — das letzte Codicill meines Testaments! Suchen Sie Sich meinem Sohn zu nähern. Man wird es Ihnen jetzt noch verweigern, und es mögen Jahre vergehen, ehe man die Furcht vor mir so weit überwunden haben wird, daß man den Mitgliedern meiner Familie die Freiheit gestattet, zu gehen, wohin sie wollen. Aber ein Tag wird doch kommen, wo sie ihre Furcht überwunden haben, wo der Schatten Napoleons ihren Weg nicht mehr verdunkelt. Sobald dieser Tag gekommen ist, Hortense, gedenken Sie dieser Stunde, eilen Sie zu meinem Sohn, nehmen Sie ihn in Ihre Arme, und drücken Sie einen Kuß auf seine Lippen. Sagen Sie ihm, dieser Kuß komme ihm von seinem Vater! Er habe Ihnen aufgetragen, ihm diesen Kuß zu bringen, es sei das letzte Vermächtniß des sterbenden Kaisers gewesen, und Sie habe er zu seinem Testaments-Vollstrecker erkoren. Sagen Sie meinem Sohn, ich sendete ihm durch Sie meinen Segen und den Gruß meiner Liebe. Sagen Sie ihm, er solle eingedenk bleiben seiner Geburt, seiner Rechte, seiner Pflichten, er solle sich in seinem Herzen mindestens immer Napoleon nennen, wenn er es auch dulden müsse, daß die Menschen ihm einen andern Namen gegeben. Sagen Sie ihm, daß meine Gedanken bei ihm sein werden, so lange ich lebe, und daß, wenn er ein Mann geworden, er sich erinnern soll, daß der Schatten seines Vaters über ihm schwebt, und ihn zu großen Thaten mahnt! Sagen Sie ihm, daß ich nur für ihn dem Thron entsagt habe, daß die Krone von Frankreich ihm gehört, daß er der rechtmäßige Kaiser von Frankreich ist. Dessen soll er eingedenk bleiben, darnach soll er handeln! — Und dann, Hortense, wenn Sie also gesprochen, dann legen Sie Ihre Hand auf sein Haupt und segnen Sie meinen Sohn im Namen seines Vaters. Als letzte Liebesgabe

15*

bringen Sie ihm dies Medaillon. Es enthält nur eine Locke von meinem Haar, ich habe sie selbst in dieser Nacht van meinem Haupte geschnitten, und in die Kapsel gelegt! Er soll das Medaillon tragen zu meinem Gedächtniß. Wenn er aber einst wieder Kaiser von Frankreich geworden, dann soll er das Medaillon mit meinem Haar im Innern seiner Krone befestigen lassen, wie ein Nagel von dem Kreuz Christi in meiner Krone Italiens befestigt war. Es sei ihm auch ein Zeichen meines Leidens, meines Märtyrerthums und gemahne ihn an die Vergänglichkeit aller irdischen Größe. — Und nun, Hortense, habe ich nichts mehr zu sagen. Mein Codicill ist beendet.

Sire, sagte Hortense mit von Thränen erstickter Stimme, Sire, ich bitte Sie um einen letzten Liebesblick für meine Söhne. Der Segen eines großen Mannes ist ein unverlierbares Geschenk, ein Talisman gegen alle Stürme des Lebens. Sire, segnen Sie meine Söhne.

Sie faßte die beiden kleinen Knaben, welche sich leise weinend in den Hintergrund des Gemaches zurückgezogen hatten, bei der Hand und führte sie zu ihrem Oheim hin.

Knieet nieder, meine Kinder, sagte sie feierlich, knieet nieder, um den Segen des Kaisers zu empfangen.

Die Kinder sanken auf ihre Kniee nieder, ihre Hände faltend, ihre von Thränen bethaueten bleichen Gesichter zu dem Kaiser erhebend, der mit seinem stolzen feierlichen Cäsarengesicht ihnen wie ein heiliges überirdisches Wesen erscheinen mochte. Hinter ihnen stand ihre Mutter mit gefaltenen Händen, ihre von Ehrfurcht und Liebe strahlenden Blicke dem Kaiser zugewandt.

Ich sage Euch Lebewohl, meine Kinder, sagte Napoleon sich leise niederneigend und einen Moment seine Hände auf die blonden Häupter seiner beiden Neffen legend. Ihr tragt Beide meinen Namen, macht diesem Namen Ehre, verleugnet ihn niemals, tragt ihn tapfer und offen an Eurer Stirn, denn was Euch jetzt als ein Makel angerechnet wird, weil die Leidenschaften noch entflammt sind, wird Euch dereinst als eine Glorie und Verherrlichung von der Stirn leuchten. Ihr heißt Beide Napoleon; vergeßt das nicht, macht Eurem Oheim Ehre, und wenn das Schicksal es Euch gestatten will, so rächt ihn dereinst an den Fürsten, welche im Glück mir zu Füßen lagen und jetzt im Unglück mich behandeln wie einen Banditen. Aber niemals, niemals rächt Euch an Frankreich. Liebt Frankreich, dient Frankreich und lebt und sterbt in Treue Eurem Vaterland! Lebet wohl!

Er hob die beiden Knaben in seine Arme empor

und küßte sie innig. Dann ließ er sie langsam wieder auf den Boden niedergleiten und wandte sich ab, um die Thränen zu zerdrücken, die in seine Augen getreten waren.

Hortense führte die Kinder durch das Kabinet und öffnete ihnen die Thür zu dem Nebengemach. Erwartet mich hier, sagte sie, die Kinder in das andere Zimmer geleitend, ich werde gleich zu Euch kommen.*)

Nun trat sie wieder in das Cabinet ein, dessen Thür sie sorgfältig hinter sich zudrückte und zu dem Kaiser hineilte, der auf einen Lehnstuhl niedergesunken war und das Haupt auf die Brust gesenkt, die Arme schlaff herniederhängend, unbeweglich da saß.

Sire, sagte Hortense leise, Sire, jetzt habe ich noch eine letzte Bitte. Jetzt erflehe ich mir von Ihnen einen letzten Beweis Ihrer Güte, Ihrer Zuneigung für mich. Sire, ich bitte Sie, von mir ein Andenken anzunehmen. Diese Binde, welche ich Sie bitte unter Ihrem Gewande auf dem Körper zu tragen.

Sie zog aus einem Kästchen eine breite schwarze Binde hervor und reichte sie, fast in die Knie sinkend, mit einem Blick angstvollen Flehens dem Kaiser dar.

*) Von diesen beiden Kindern Hortensens starb der älteste 1830, der zweite ist der jetzige Kaiser von Frankreich.

Napoleon nahm die Binde, und blickte sie erstaunt an. Sie ist schwer, sagte er, sie enthält ein Geheimniß, wie es scheint. Was haben Sie darin verborgen?

Sire, ich habe meinen großen Brillantschmuck auseinandergenommen, und ihn in diese Binde genäht. Oh, nicht diese abwehrende Bewegung, Sire, sagen Sie nicht, daß Sie mir diese letzte Bitte verweigern wollen, daß Sie mir, die ich zugleich Ihre Tochter und Ihre Schwägerin bin, daß Sie mir dies Recht verweigern, Ihnen zu geben von meinem Ueberfluß. Sire, Sie wenden Sich einer ungewissen, bewegten Zukunft zu. Der Kaiser von Frankreich steigt hernieder von seinem Thron mit einer Krone, die glänzender ist, als alle Schätze der Welt, mit der Krone der Armuth!

Es ist wahr, sagte Napoleon leise vor sich hin, ich habe nicht daran gedacht, mir Schätze zu sammeln, ich habe nur an Frankreich gedacht, und arm, wie ich den Thron bestiegen, verlasse ich ihn jetzt.

Aber in dieser elenden und jammervollen Welt genügt es nicht an Ihrer Glorie der Armuth! Sie wird kommenden Geschlechtern entgegenstrahlen, und sie werden sich vor ihr beugen, aber die Mitwelt wird sie nicht sehen, und sie wird nicht hinreichen, um Sie vor Noth und Mangel zu schützen. Sire, nehmen Sie meine

Brillanten für die Tage der Noth und Bedrängniß, um sie alsdann in Geld zu verwandeln, in Geld, für welches Sie Sich in Amerika Land, Bürgerrecht — eine Zukunft erkaufen.

Aber Sie selber, Hortense, Sie selber könnten eines Tages der Hülfe Ihrer Brillanten bedürfen.

Nein, Sire, was ich besitze, reicht hin, um meinen Söhnen und mir ein bescheidenes Leben zu sichern, und des Schmuckes bedarf ich nicht. Die Thränen, die ich um Sie weinen werde, das sollen die Perlen sein, mit denen ich mich schmücken will, so lange ich lebe. Sire, ich beschwöre Sie, nehmen Sie das kleine Zeichen meiner Dankbarkeit, meiner ehrerbietigen Liebe von mir an. Gönnen Sie mir das freudige Bewußtsein, Sie vor augenblicklicher Noth und elender Geldverlegenheit gesichert zu haben.

Nun wohl denn, Hortense, ich nehme Ihr Geschenk an, und wenn ich eines Tages als ein armer Pflanzer in Amerika mir für Ihre Brillanten Land erwerbe, um doch ein Fleckchen Erde zu haben, das Mein ist, so werde ich Ihrer gedenken, und Ihnen im Geist meine Grüße senden. Jetzt, Hortense, leben Sie wohl. Sie haben in Ihrem Leben viel geweint, möge das Glück Ihre Thränen trocknen, und Ihre Zukunft weniger stürmisch sein, als Ihre Vergangenheit. Der Sturm ging von mir aus, ich gehe! Möge der Welt und Ihnen jetzt Ruhe und heiterer Himmel leuchten! Leben Sie wohl!

Er breitete ihr seine Arme aus, und Hortense warf sich an seine Brust und küßte ehrfurchtsvoll seine Hände, die mit milder Zärtlichkeit ihre Wangen streichelten.

Jetzt will ich fort, sagte Napoleon dann rasch, indem er die schwarze Binde mit den Brillanten in seinen Busen steckte. Die Stunde des Abschieds ist gekommen, ich will nicht länger zögern.

Er durchschritt rasch das Gemach, und wollte sich der Thür nähern, als diese geöffnet ward, und eine bleiche hohe Frauengestalt auf der Schwelle derselben erschien.

Sie hier, meine Mutter, murmelte Napoleon zurücktretend. Ich hoffte, Sie hätten Frankreich schon verlassen, um in Rom ein Asyl zu suchen, wie ich Sie darum gebeten hatte.

Ich werde nach Rom gehen, um mit meinem Bruder zu weinen und zu beten, sagte Madame Lätitia mit feierlicher Würde, indem sie langsam vorwärts schritt, ihre großen Augen unverwandt auf den Sohn gerichtet, als wolle sie seine Gestalt tief und mit unvergänglichen Zügen in ihre Augen, in ihr Herz einprägen.

Ich werde nach Rom gehen, wiederholte sie, und über ihr edles, antikes Gesicht flog jetzt ein stolzer gebieterischer Ausdruck, als sie fortfuhr: die Feinde meines Sohnes sollen aber nicht sagen können, daß seine Muttter geflohen ist, daß sie Frankreich verlassen hat, bevor der Kaiser, ihr Sohn, sein Land aufgegeben und verlassen hatte. Jetzt, da Du Frankreich verlassen willst, jetzt gehe auch ich, mein Sohn. Du gehst in die Weite, ich gehe nach Rom, um in St. Peter für Dich zu beten. Mein Sohn, wir werden uns auf Erden nicht wiedersehen. Aber ich werde doch immer bei Dir sein.

Sie schritt dicht zu ihm hin, und ihre beiden Hände auf seine Schultern legend, schaute sie mit festem, flammendem Blick in das Antlitz ihres Sohnes.

Der Kaiser erwiederte diesen Blick, kein Zug seines bleichen, stolzen Angesichts zuckte, nur seine Augen, welche denen seiner Mutter begegneten, sprachen zu ihr, und Lätitia verstand die Sprache dieser düstern, flammenden Blicke. Unfern von ihnen stand Hortense, die Hände gefalten, das von Thränen überfluthete Angesicht himmelwärts gewandt, die Lippen sich bewegend in leisem Gebet.

Immer noch stand Madame Lätitia da, die Hände auf die Schultern ihres Sohnes gelegt, ihn fest anschauend, aber ihre Augen waren jetzt düster geworden, und zwei große Thränen rannen langsam über ihre Wangen nieder.

Lebe wohl, mein Sohn, sagte sie jetzt laut und feierlich.

Lebe wohl, meine Mutter! rief der Kaiser, ebenso laut, ebenso feierlich.

Dann ließ Madame Lätitia ihre Hände von Napoleons Schultern niedersinken, als gäbe sie ihn frei an die Zukunft, an das Schicksal.

Langsam hob sie dann die Rechte gen Himmel. Dort oben, mein Sohn, sagte sie. Jetzt geht, laßt mich allein!

Napoleon schritt an ihr vorüber und ging nach der Thür hin, Hortense folgte ihm.

Lätitia, die beiden Hände an ihre wogende Brust gedrückt, die Augen weit geöffnet, das Haupt vorn übergeneigt, starrte ihrem Sohn nach.

Jetzt öffnete er die Thür, jetzt trat er hinaus, Hortense hinter ihm, — Lätitias Mund öffnete sich wie zu einem Schrei, aber er erstarrte auf ihren Lippen, — sie sah nach ihrem Sohn, sie sah ihn vorwärts schreiten, — nun ward die Thür hinter ihm geschlossen — nun sah sie ihn nicht mehr, und ohne Laut, ohne Klage, wie eine vom Sturmwind zerschmetterte Statue des Schmerzes sank Lätitia zur Erde nieder.*)

Der Kaiser war in die Mitte des Nebensaals vor-

*) Madame Lätitia lebte seit dieser Zeit in Rom, wo sie mit ihrem Bruder, dem Cardinal Fesch, ein stilles zurückgezogenes Leben führte. Aber diese Zurückgezogenheit sicherte sie nicht vor dem Argwohn und dem Mißtrauen der Regierungen, denen Napoleon auf immer ein Schrecknis war, obwohl er im fernsten Exil lebte. Als im Jahr 1820 das südliche Europa von den Verschwörungen der Carbonari beunruhigt ward, und sich auch in Frankreich Anzeichen einer bonapartistischen Verschwörung kund gaben, ließ der König von Frankreich dem Papst Gregor mittheilen, er habe aus genauen Quellen erfahren, daß Madame Lätitia an der Spitze einer bonapartistischen Verschwörung stehe; sie habe, wie man ihm, dem König, gemeldet, ihre Agenten in Corsika, um dort eine Erhebung zu Gunsten Napoleons anzufachen; man fügte hinzu, daß dies Complott sich bis in das Innere Frankreichs verzweige, und daß Madame Lätitia auch dort Partisanen für ihren Sohn anwerbe, daß die Regierung des Königs von der Wahrheit dieser Angaben überzeugt sei, und sogar genau wisse, wie viele Millionen Madame Lätitia zu diesen Zwecken verwendet. Der Papst durfte diese von dem französischen Gesandten, Grafen Blacas angebrachte Beschwerde nicht unbeachtet lassen, und sandte daher seinen Staatssecretair zu Madame Lätitia, um ihr die Klagen Frankreichs vorzutragen und Rechenschaft von ihr zu fordern. Madame Lätitia hörte alle Vorhaltungen des Cardinals und Staatssecretairs mit gelassener Ruhe an; dann aber

geschritten. Um ihn her standen seine ihm treu gebliebenen Generäle, Diener und Freunde.

Sie standen da, gesenkten Hauptes, weinend, leise schluchzend.

Napoleon ging zu Jedem von ihnen hin, er hatte für Jeden ein Wort der Liebe, des Trostes, der Hoffnung. Jetzt näherte er sich der Gruppe derjenigen seiner Getreuen, welche ihn auf seiner Reise begleiten, sein düsteres und ungewisses Schicksal mit ihm theilen wollten, das waren Savary, der Herzog von Rovigo, die Generäle Bertrand, Lallemand und Gourgaud, die Grafen Montholon und Las Cases.

---

erhob sie sich und mit stolzer Würde sagte sie: „Herr Cardinal, ich habe keine Millionen; aber sagen Sie dem Papst, und möge er meine Worte dem König Ludwig XVIII. wiederholen lassen, sagen Sie ihm, daß, wenn ich so glücklich wäre, die Millionen zu besitzen, welche man mir so mildthätig zulegt, ich sie nicht benutzen würde, um Unruhen in Corsika anzufachen, auch nicht um meinem Sohn in Frankreich Partisanen zu werben, deren er dort hinlänglich besitzt, sondern daß ich meine Millionen benutzen würde, um eine Flotte auszurüsten, die eine ganz andere Mission haben würde, die Mission, den Kaiser von der Insel Helena zu befreien, wo die unwürdigste Gesetzlosigkeit ihn gefangen hält." Dann grüßte sie den Cardinal mit einem stolzen Kopfneigen und zog sich in das Innere ihrer Gemächer zurück. Cochelet. Mémoires IV. S. 183.

Ach, meine Freunde, rief Napoleon mit heitern, strahlenden Blicken. Ich preise mich glücklich, denn ich bin reich, ich habe treue Freunde. Um Euretwillen vergebe ich Denen, die mich verlassen und verrathen haben. Viele sind gegangen, aber Viele sind mir treu geblieben!

Er wandte den Blick den andern Getreuen zu, die in Thränen zerfließend umherstanden, und die nur, von den Umständen, den Verhältnissen gezwungen, zurückbleiben mußten, ihm nicht folgen konnten.

Nehmt auch Ihr meinen Dank, Ihr, meine Getreuen, sagte er. Ich beklage tief die Leiden und Zurücksetzungen, welche Eure Anhänglichkeit an meine Person Euch bereiten wird. Man wird Euch Eure Treue als eine Schuld anrechnen, aber die Zukunft und die Geschichte werden gerechter gegen Euch sein. Hofft auf diese Zukunft, setzt den Verfolgungen Eurer Feinde die Stärke Eurer Seele und die Reinheit Eures Gewissens entgegen. Seid stark in Eintracht, in Muth und in Resignation. Liebt Frankreich, und Denen, die es hören wollen, sagt es, daß der scheidende Kaiser Frankreich seinen Segen und seine Liebe zurückläßt!

Die Thür des äußern Vorsaals öffnete sich jetzt und General Becker trat ein.

Sire, sagte er mit leiser, zitternder Stimme, Sire, Alles ist bereit, wenn es Ew. Majestät gefällig ist!

Napoleon neigte leise bejahend das Haupt, ein lautes Aechzen und Klagen, Weinen und Schluchzen rauschte durch den Saal, aller Angesichter waren dem Kaiser zugewandt, Aller Augen waren überströmt von Thränen.

Napoleon wandte sich um, drückte Hortense, die weinend hinter ihm stand, noch einmal in seine Arme und reichte dann den Freunden seine beiden Hände dar.

Sie stürzten zu ihm hin, sie sanken vor ihm auf die Kniee und bedeckten seine Hände mit ihren Thränen, ihren Küssen, und weinten und schluchzten laut.

Der Kaiser weinte nicht, sein bleiches Antlitz hatte einen wunderbaren, feierlichen Ausdruck angenommen, seine Augen glänzten wie an den Tagen seiner großen Schlachten.

Lebt wohl, lebt wohl! rief er mit der lauten, tönenden Stimme, mit welcher er sonst seine Soldaten zur Schlacht, zum Sieg gerufen. Lebt wohl!

Seine Stimme hallte noch in dem Saal wieder, als er ihn hastigen Schrittes schon verlassen hatte.

Hortense eilte zum Fenster hin und lehnte sich hinaus, um ihn noch einmal, ein letztes Mal noch zu sehen.

Jetzt trat der Kaiser aus dem Portal, jetzt sah sie

noch einmal sein bleiches, ehernes Angesicht, sah, wie er einen langen, langen Blick über die Bäume, die Alleen des Gartens dahin schweifen ließ, wie er, schon den Fuß auf den Tritt des Wagens gesetzt, noch einmal sich umwandte und hinschauete nach dem Garten, als könne sein Auge nicht müde werden, diesen Schauplatz seines einstigen Glückes, seiner einstigen Größe zu betrachten.

Jetzt sah sie ihn rasch den einfachen Caleschwagen besteigen, gefolgt von Becker und Savary, sah in die für den Kaiser bestimmte, glänzende Equipage die Generale Gourgaud und Bertrand einsteigen, sah das übrige Gefolge und die Dienerschaft in den andern zwei Wagen Platz nehmen, hörte dieses unter Thränen und Schluchzen halb erstickte: Vive l'Empereur! der zurückbleibenden Diener — nun rollten die Wagen von dannen mit einem lauten Donner, welcher die einsamen Säle von Malmaison durchhallte und ihnen verkündete, daß der Kaiser sie für immer verlassen habe.

Hortense sank auf ihre Kniee und zog ihre Söhne mit sich nieder. Betet, rief sie mit bleichem, von Thränen überflutheten Angesicht, betet für den Kaiser und für Frankreich!

IV.

In Rochefort.

Nach viertägiger Fahrt war Napoleon mit seinem Gefolge endlich in Rochefort angelangt. Die beiden, von der provisorischen Regierung ihm zur Verfügung gestellten Schiffe lagen allerdings in dem Hafen von Rochefort für ihn bereit, aber vor dem Hafen lagen schon die, wie man sagte, von Fouché benachrichtigten Schiffe der Engländer, den Hafen blokirend und entschlossen, jedes den Hafen verlassende Schiff anzugreifen.

Napoleon vernahm diese Nachrichten mit einer wunderbaren Ruhe und Gelassenheit, und sie schienen ihn gar nicht zu berühren. Seine Gedanken weilten immer noch in Paris und bei seiner Armee.

Immer noch hoffte er, daß das französische Volk ihn mit Gewalt wieder auf seinen Thron erheben, daß seine Armee ihn zurückrufen werde.

Aber bald erschallte von Paris her die Nachricht, daß die Stadt sich den Feinden übergeben habe, daß die Verbündeten, und mit ihnen auch der König Ludwig der Achtzehnte in Paris eingezogen seien, daß die Armee sich unterworfen habe.

Bei diesen Nachrichten sah man den Kaiser erbleichen, und ein schwerer Seufzer entrang sich seiner Brust. Nun, dann ist es Zeit, Frankreich zu verlassen, sagte er. Jetzt giebt es für mich keine Hoffnung mehr!

Aber wohin wollen Ew. Majestät gehen? fragte der Graf Las Cases.

Ich werde nach den Vereinigten Staaten gehen, rief Napoleon lebhaft. Man wird mir dort Land geben, oder ich werde es kaufen, wir werden es anbauen. Ich werde damit enden, womit der Mensch angefangen hat; ich werde von dem Ertrag meines Feldes und meiner Heerden leben. *)

Aber glauben Ew. Majestät, daß die Engländer Sie ungestört Ihr Feld in Amerika werden bestellen lassen?

Warum nicht? Was für Schaden könnte ich ihnen dort zufügen?

---

*) Napoleons eigene Worte. Siehe: Fleury. Vol. IV. S. 80.

Was für Schaden, Sire? Ew. Majestät haben also vergessen, daß Sie England haben zittern machen? So lange Sie leben, und frei sind, wird England Ihr Genie und Ihren Haß fürchten. Sie wären für England vielleicht auf dem Throne Frankreichs, den Ludwig der Achtzehnte jetzt so klein gemacht, weniger gefährlich, als Sie es ihm in den Vereinigten Staaten sein würden. Die Amerikaner lieben und bewundern Sie; Sie würden auf dieselben großen Einfluß ausüben, und sie vielleicht dahin bringen, gewichtige Unternehmungen gegen England zu beginnen.

Was für Unternehmungen? fragte Napoleon achselzuckend. Die Engländer wissen wohl, daß die Amerikaner mit ihrem letzten Tropfen Blut ihr Land und ihre Freiheiten vertheidigen, aber daß sie sich schwer dazu entschließen würden, einen auswärtigen Krieg zu führen. Sie sind noch nicht so weit vorgeschritten, um die Engländer ernstlich beunruhigen zu können. Eines Tages werden die Amerikaner vielleicht die Rächer der Meere sein, aber dieser Zeitpunkt liegt noch fern; die Amerikaner werden nur langsam wachsen und sich vergrößern.

Sire, angenommen, daß die Amerikaner für England in diesem Moment keine ernsthafte Beunruhigung sein könnten, so würde Ihre Anwesenheit in den vereinigten Staaten England wenigstens die Gelegenheit darbieten, Europa gegen die Vereins-Staaten aufzuregen. Die Alliirten werden ihr Werk für unvollendet halten, so lange Ew. Majestät nicht in ihrer Gewalt sind, und sie werden die Amerikaner zwingen, wenn nicht, Sie auszuliefern, so doch Sie von ihrem Gebiet zu entfernen.

Nun, rief Napoleon mit blitzenden Augen, dann werde ich nach Mexiko gehen, und wenn man mich auch dort nicht will, nach Caracas, und wenn es mir dort nicht gefällt, nach Buenos-Ayres, nach Californien, ich werde von Meer zu Meer schiffen, bis ich irgendwo ein Asyl gegen das Uebelwollen und die Verfolgung der Menschen finde.*)

Ach Sire, wird es Ihnen auf diesen Weltfahrten immer gelingen, den Späheraugen und den Flotten der Engländer zu entgehen?

Nun, wenn ich ihnen nicht entgehen kann, so mögen sie mich ergreifen, rief Napoleon ungeduldig. Das englische Gouvernement taugt nichts, aber die englische Nation ist groß, edel und großmüthig. Ach, ich thäte

*) Napoleons eigene Worte. Fleury VI. S. 81.

vielleicht am Besten, nach England zu gehen, mich dort niederzulassen, und in friedlicher Zurückgezogenheit auszuruhen von meinem thatenvollen Leben. Ich habe genug gethan für die Geschichte und die Nachwelt, und ich darf wohl daran denken, jetzt ein wenig Ruhe und Behagen zu suchen. Ja, ich will nach England gehen. Das Schicksal selber giebt mir diesen Gedanken ein. Es hat die englischen Schiffe gesandt, welche hier vor dem Hafen kreuzen, es will mir die Gelegenheit geben, allen diesen Wirrnissen durch einen kühnen Entschluß mich zu entreißen, und nach England zu gehen, nach dem Lande gesetzlicher Freiheit, nationaler Größe. Las Cases, ich will Sie mit einer Botschaft zu dem Befehlshaber der beiden englischen Fahrzeuge senden. Nehmen Sie die Botschaft an?

Sire, ich nehme jede Botschaft an, welche Ew. Majestät mir befehlen.

Fahren Sie also hinüber auf das englische Schiff zu dem Capitain Maitland. Sie kennen ihn, nicht wahr?

Ja, Sire, ich habe während meines frühern Aufenthalts in England den Capitain Maitland kennen gelernt. Er ist ein tapferer und loyaler Mann.

Fahren Sie zu ihm, Graf. Fragen Sie ihn in

meinem Namen, welche Aufnahme ich von ihm zu erwarten hätte, wenn es mir vielleicht einfallen sollte, auf seinem Schiff eine Zuflucht zu suchen. Der Herzog von Rovigo und General Lallemand sollen Sie begleiten! Fragen Sie zugleich an, was man thun würde, wenn ich mit einer Parlamentairflagge auf der französischen Fregatte den Hafen verlassen, oder wenn ich auf einem neutralen Schiffe absegeln möchte. Eilen Sie! —

Graf Las Cases hatte kaum das Zimmer des Kaisers verlassen, um dessen Befehl auszuführen, als der General Bertrand hastig in dasselbe eintrat.

Sire, sagte er mit bewegter Miene, Ew. Majestät sind in Gefahr; die Engländer führen Böses im Schilde. Sie wollen Ew. Majestät verhaften, sobald Sie den Hafen verlassen. Oh Sire, ich beschwöre Sie, zaudern Sie nicht länger, retten Sie Sich, damit wir nicht den Schmerz, Frankreich nicht die Schmach erleben, Ew. Majestät in der Gewalt Ihrer Feinde zu sehen. Noch bietet sich für Ew. Majestät ein Weg der Rettung dar! Ergreifen Sie ihn, Sire, aus Erbarmen mit uns, die wir Sie lieben und anbeten, die wir bereit sind, Ihnen zu folgen bis an das Ende der Welt, mit Ihnen die Verbannung zu ertragen, uns glücklich preisend, wenn es uns nur vergönnt ist, in Ihrer Nähe zu bleiben, Ihnen unsere Dienste zu weihen. Sire, ich beschwöre Sie, erhalten Sie Sich uns, Ihren treuen ergebenen Dienern, vertrauen Sie Sich nicht den Engländern, retten Sie Sich, retten Sie uns, so lange es noch Zeit ist!

Was soll ich thun, um mich zu retten? fragte Napoleon gelassen. Wissen Sie ein Mittel, Bertrand, mich aus dem Hafen zu bringen, ohne von den Engländern entdeckt zu werden?

Ja, Sire, ich weiß ein Mittel. Ein Franzose, der Ihnen ergeben ist, und jetzt als Schiffscapitain in dänischen Diensten steht, liegt hier im Hafen mit seinem Fahrzeug vor Anker. Er ist zu mir gekommen, Sire, er bietet sich und sein Schiff zur Rettung Ew. Majestät an. Sire, dieser Capitain Baudin ist ein unerschrockener tapferer Seemann, und er schwört, daß es ihm gelingen wird, Ew. Majestät sicher und ungefährdet aus dem Hafen hinaus und nach Amerika zu bringen.

Und er meint, die Engländer würden ihn ungefährdet ziehen lassen? Sie würden sein Schiff nicht untersuchen?

Nein, Sire, er meint das nicht. Aber er hat auf seinem Schiff ein Versteck eingerichtet, in welchem Eure

Majestät während der ganzen Ueberfahrt verbleiben müßten, und der aller noch so großen Wachsamkeit der Engländer dennoch verborgen bleiben würde. Sire, nehmen Sie den Vorschlag Baudin's an. Retten Sie Sich.

Nein, sagte Napoleon, ich will mich wohl retten, aber ich werde mich niemals verstecken.

Nun denn, Sire, so habe ich Ihnen noch einen andern Vorschlag zu machen, rief Bertrand. Einige junge Marine-Lieutenants bieten Ew. Majestät ihre Dienste an. Sie haben kleine rasche Fahrzeuge bei der Hand, und sind bereit, Ew. Majestät und Ihr Gefolge auf denselben durch die englischen Kreuzer hindurch und nach Amerika zu bringen. Sire, es sind entschlossene junge Männer, die vor keiner Gefahr zurückschrecken, vor keiner, als vor der, Ew. Majestät in die Hände Ihrer Feinde fallen zu sehen, und die Sie daher bis auf das Aeußerste vertheidigen werden.

Was hülfe ihre Vertheidigung, wenn Wind und Wetter gegen mich wären, sagte Napoleon. Irgend ein Sturm könnte diese kleinen Fahrzeuge an eine englische Küste werfen, das erste beste englische Kriegsschiff könnte sie kapern, und mir würde dadurch die Schmach zu Theil, auf einem Fluchtversuch ertappt zu werden, und als Gefangener eingebracht zu werden. Nein, ich kann mit dem Schicksal selbst nicht unter der Decke spielen, ich kann mich nicht verstecken und nicht flüchten, und mein Leben nicht mit einer kleinlichen Farçe endigen. Ich fliehe nicht, ich bleibe, und erwarte mein Schicksal. Aber damit meine Gegenwart auf dem französischen Festlande die Feinde Frankreichs nicht beunruhige, und nicht Ursache sei, daß man Frankreich noch härtere Kriegsbedingungen auferlege, will ich hinüberfahren auf die Insel Aix. Dort wollen wir die Gestaltung unsers Schicksals erwarten. —

Eine Stunde später betrat Napoleon mit seinem kleinen Gefolge die Insel Aix, dessen Bewohner ihn mit Freudejauchzen empfingen, und ihn noch einmal den Ruf: Es lebe der Kaiser! vernehmen ließen.

Napoleon lächelte traurig dazu, und trat in das zu seiner Aufnahme bereitete Gouvernements-Gebäude ein, um dort sich an das Fenster zu stellen, und hinüber zu spähen nach den fernen englischen Schiffen, und nach dem Hafen, der Rückkehr des Grafen Las Cases harrend.

Endlich am späten Nachmittage trat der Graf in das Gemach des Kaisers ein.

Nun? fragte Napoleon lebhaft, was für Antwort

bringen Sie? Was sagt Capitain Maitland? Ist er bereit, mir auf seinem Schiffe eine Zuflucht zu gewähren?

Sire, Capitain Maitland antwortete mir, er habe keine Verhaltungsregeln für solchen Fall, und müsse mich deshalb an den Admiral Hotham verweisen, der das englische Geschwader an der französischen Westküste commandire.

Und wenn ich mit einer Parlamentairflagge auf der französischen Fregatte oder auf einem neutralen Schiffe den Hafen verlassen wollte?

Capitain Maitland erklärte mir, daß er jedes Schiff, unter welcher Flagge es immer segeln möge, angreifen, jedes neutrale Schiff streng visitiren und vielleicht sogar in einen englischen Hafen abführen werde. Aber er gab mir den Rath, Ew. Majestät zu bereden, daß Sie Sich nach England begeben möchten, und versicherte, daß Ew. Majestät dort einer ehrenden und rücksichtsvollen Aufnahme gewiß sein könnten.

Es ist gut, sagte Napoleon müde, wir wollen morgen das Weitere überlegen. Ich danke Ihnen für Ihre guten Dienste, Graf. Sie werden ermüdet sein, und ich bin es auch. Lassen Sie uns zur Ruhe gehen. Ach, es wäre vielleicht besser, zur ewigen Ruhe zu

gehen. Ich bin dieses Lebens satt und müde, ich fange an, mich auf der Erde zu langweilen! Lassen Sie uns also versuchen, zu schlafen. Der Schlaf bringt Vergessenheit, und selig sind Diejenigen, welche vergessen können. Ich begreife jetzt die Mythe der Alten, welche die Seelen, die das Elysium betraten, erst aus dem Lethe trinken ließen, damit sie im Paradiese glücklich zu sein vermöchten. Ja, ja, um nach einem inhaltsreichen Leben wieder das Glück des Paradieses genießen zu können, muß man den Trank des Vergessens getrunken haben. Ach, aber wo finde ich ihn, welche mitleidige Hand anders als der Tod kann mir den Lethebecher reichen, und — doch still! Gute Nacht, Graf, morgen wollen wir einen Kriegsrath halten! Heute wollen wir schlafen! Schlafen!

V.

Die Brücke von Jena.

Na, so haben wir's nun endlich erreicht, sagte Blücher, sich behaglich ausstreckend auf dem mit goldenen Bienen gestickten Divan von grünem Sammet. Der Bonaparte ist nun runter und er soll die Welt nicht mehr beunruhigen. Es ist aus mit ihm, er sitzt nun in Rochefort, und wird bald nach Helena absegeln, ich sitze nun in St. Cloud, und das Cabinet des Herrn Bonaparte, das ist nun das Wohnzimmer des betrunkenen Husaren-Generals Blücher, wie der Monsieur mich immer genannt hat. Mit dem Bonaparte, da sind wir nun fertig, aber mit Frankreich noch lange nicht.

Was wollen Sie denn noch weiter fordern, Durchlaucht? fragte Gneisenau, der neben dem Divan des Feldherrn auf dem Fauteuil saß, an dessen Armlehne Napoleon so oft während des Minister-Conseils geschnitzt hatte. Frankreich ist, wie mich dünkt, hinlänglich gedemüthigt.

So, meinen Sie? fragte Blücher strenge. Na, wie so ist es denn gedemüthigt? Was haben wir ihm denn gethan?

Vor allen Dingen, Durchlaucht, haben wir es besiegt, und das ist für ein kriegerisches, ruhmsüchtiges Volk schon immer ein herbes Unglück. Dann haben wir ihm alle Beute früherer Siege wieder abgenommen, haben seinen Kaiser, den die Armee wenigstens noch immer liebte, abgesetzt und verjagt, und haben den König Ludwig den Achtzehnten, den weder die Armee noch das Volk liebte, den Niemand wollte, wieder auf seinen legitimen Thron eingesetzt.

Daran ist mir gar nichts gelegen, rief Blücher unwirsch. Ich wollte vielmehr, der König wäre noch nicht wieder hier, denn ich hatte noch vielerlei Forderungen an die Stadt Paris und ich wollt' sie noch gehörig abstrafen. Weiß aber schon, daß der König sich nun in's Mittel legen, und bei unserm König und dem Kaiser so lange wimmern und jammern wird, bis sie ihm in Allem nachgeben und ich gar nicht dazu komme, die Stadt Paris gehörig abzustrafen.

Nun, Feldmarschall, sagte Gneisenau lächelnd, mich

dünkt, Sie haben aber die Stadt schon gehörig abge-
straft! Sie haben erstens befohlen, daß Paris unsere
Armee als Einquartirung aufnehme und bewirthe.

Na, das war ich meinen Preußen schuldig, rief
Blücher. Die Franzosen haben Jahre lang in Berlin
recht angenehm logirt, es soll also kein Preuße, der
mir hierher gefolgt ist, zurückkehren, ohne sagen zu
können, daß die Pariser ihn auch gut bewirthet haben.*)

Dann ferner haben Sie der Stadt Paris eine
Kriegssteuer von einhundert Millionen Francs auferlegt.

Und das ist eigentlich noch viel zu wenig, denn
es ist nur blos 'ne Abschlagszahlung auf die vielen
Millionen Thaler, die Frankreich von Preußen sich zu-
geeignet hat und die Preußen durch Frankreich verloren
hat. Blos 'ne kleine Strafe für all' den Kummer, und
die Demüthigung und den Jammer, den die Franzosen
über unser unglückliches Vaterland gebracht haben und
wovon mein altes Herz beinah zersprungen wäre. Wir
mußten die Franzosen strafen, und es giebt nun einmal
für alle Menschen keine empfindlichere Strafe, als wenn
man sie ihre Sünden und Verbrechen bezahlen läßt.

---

*) Blüchers eigene Worte. Siehe: Varnhagen: Biographische
Denkmale. S. III. 472.

Das Geldgeben, das thut den Menschen am wehesten und darum müssen die Pariser zur Strafe für ihre Sünden zahlen.

Aber Sie haben ihnen auch noch andere Strafen auferlegt, Durchlaucht. Sie haben befohlen, daß aus dem Museum alle die erbeuteten Kunstschätze fortgenommen und wieder nach Deutschland zurückgeführt werden sollten.

Na, und ich will nicht hoffen, daß Sie das zu hart finden? rief Blücher ungestüm. Wenn man einen Dieb gefangen hat, und findet das gestohlene Gut bei ihm, so nimmt man es ihm wieder fort, nicht wahr? Die Franzosen hatten aber all' die Kunstschätze, die sie hier aufgestapelt haben, nicht von Deutschland geschenkt bekommen, sondern sie haben sie aus den Museen und Schlössern gestohlen und geraubt, und es ist daher man blos ganz natürlich, daß sie sie wieder rausgeben müssen und daß sie wieder nach Deutschland zurück müssen. Es wäre ja eine ewige Schmach und Schande für uns Deutsche, wenn wir so zimperlich wären und nicht wagten, die Hände auszustrecken nach unserm Eigenthum, und den Franzosen den Triumph ließen, ihr geraubtes Gut behalten zu dürfen. Als sie in Deutschland waren, da haben sie, aus Kunstsinn wie sie's nennen, überall die Museen bestohlen und beraubt und genommen, was ihnen nicht gehört. Nu wir in Frankreich sind, wollen wir auch zeigen, daß wir Kunstsinn haben, und wollen aus ihren Museen uns wenigstens nehmen, was uns gehört.

Ew. Durchlaucht haben Recht, sagte Gneisenau, die Wiederherausgabe dieser deutschen Kunstschätze ist nur ein Act der Gerechtigkeit, und Deutschland muß Ihnen dankbar sein, denn nur Ihrer Festigkeit und Energie wird es den Wiederbesitz seiner Schätze danken. Aber, mein theurer, geliebter Feldherr, Sie sollten nun mit diesen Strafen zufrieden sein und das gedemüthigte Volk nicht noch mehr kränken. Ich dächte, Sie ständen davon ab, die eherne Siegessäule auf dem Vendôme-Platz sprengen zu lassen. Die Pariser betrachten sie als ein Denkmal ihres Ruhms und man wird doch ihnen diesen Ruhm nicht ableugnen können.

Na, meinetwegen, sagte Blücher verdrießlich, mögen sie denn dieses Ding behalten. Es ist König Ludwigs Sache, ob er die Ruhmessäule Bonaparte's vor seiner Nase dulden will, und ob's ihn nicht verschnupft, den Bonaparte mitten in seiner Hauptstadt so gefeiert zu sehen. Wenn Er's ertragen kann, mir kann's gleichgültig sein. Aber Eins sage ich Ihnen, Gneisenau, die

Brücke von Jena, die lasse ich ihnen nicht, und ich rathe Ihnen, daß Sie nicht für die bitten. Die muß runter, eben so gut wie der Bonaparte.

Aber es fällt mir auch gar nicht ein, für die Brücke bitten zu wollen, rief Gneisenau. Ich bin ganz Ihrer Meinung, Durchlaucht, die Brücke von Jena muß zerstört werden. Wir haben mit unsern Siegen von Leipzig, Paris und Belle Alliance die Niederlage von Jena wieder ausgelöscht, und wir dürfen es nicht dulden, daß man dieses Denkmal jenes Unglückstages hier erhalten wolle, allen Preußen zur Beschämung und zum Aergerniß.

Recht so, Freund, rief Blücher freudig, dem General seine Hand darreichend. Sie sind ein prächtiger Mensch, und Sie halten doch noch etwas auf deutsche Ehre, sind kein solcher demüthiger Duckmäuser, der zufrieden ist, wenn er's Leben hat, und alle andern Völker ganz bescheidentlich dafür um Entschuldigung bitten möcht', daß er man blos 'n Deutscher ist. Nein, wir Zwei wir rühmen uns, Deutsche zu sein, und wir wollen's den Herrn Franzosen beweisen, daß wir keinen Respekt vor ihnen haben, und uns gar nicht geehrt fühlen, wenn wir mit ihnen französisch parliren können. Nein, Deutsch wollen wir mit ihnen sprechen, und wenn wir ihnen die Brücke von Jena zersprengen, so heißt das, 'n gutes deutsches Wort gesprochen haben. Den Bonaparte haben wir runter, nun müssen wir auch die Brücke noch runter kriegen!

Aber ich fürchte, wir werden viel Schwierigkeiten damit haben, und man wird von allen Seiten Alles anwenden, um unser Vorhaben zu vereiteln.

Freilich, wir müssen uns beeilen, sagte Blücher. Wir müssen rasch zu Werke gehen, damit die Sache abgethan ist, wenn der König nach Paris kommt.

Der König will am zehnten Juli in Paris seinen Einzug halten.

Und heute ist erst der neunte, rief Blücher. Wir haben also noch einen ganzen Tag Zeit, und den müssen wir benutzen. Denn wenn der König erst da ist, dann habe ich nicht mehr freie Hand, dann ist er der Herr, der zu commandiren hat, und ich muß mich seinem Befehl fügen. Er würde aber ganz gewiß sich von dem Gewimmere und dem Bitten des französischen Königs rum kriegen lassen, denn er hat 'n weiches großmüthiges Herz, und mag lieber vergeben und vergessen, als tüchtig abstrafen. Ich aber, Gneisenau, ich denke nicht so, ich kann's nicht vergessen, wie viel Schmach uns die Franzosen angethan haben, kann's nicht vergeben, daß sie uns mit Uebermuth und Hohn so in den

Staub getreten haben, daß man sich beinah schämen mußte, ein Deutscher zu sein. Es ist eine Ehrensache, daß wir die Franzosen strafen, eine Ehrensache, daß wir die Brücke von Jena zerstören, damit alle Welt sehen kann, daß wir auch empfindlich sind für unsern Ruhm, und daß 'n Deutscher eben so viel Gefühl für Ehre hat, eben so eifersüchtig ist auf seinen Ruhm, als jedes andere Volk. Wir haben uns viel gefallen lassen, darum müssen wir nun auch viel Revanche nehmen.

Leider denken nicht alle Deutsche wie Sie, Durchlaucht, seufzte Gneisenau. Selbst unsere preußischen Waffenbrüder sind zum Theil anderer Meinung. Der General Zieten war vorher hier, um gegen die Sprengung der Brücke zu protestiren. Er meint, die Sache sei dem Vertrag der Uebergabe von Paris nicht gemäß, und dürfe daher nicht geschehen.

Ich will ihm zeigen, daß sie geschehen darf und soll, rief Blücher zornerglühend. Gneisenau, schreiben Sie mal gleich auf der Stelle in meinem Namen an den General von Zieten in Paris. Da liegt Feder und Papier. Sie sind nun doch einmal immer meine Hand und mein Kopf, und verstehen sich besser auf die Feder als ich. Schreiben Sie also, was ich Ihnen diktiren will.

Gneisenau nahm die Feder, und Blücher, mit den Fingern auf den goldenen Bienen des Divans trommelnd, diktirte: „Euer Excellenz wollen sich auf keine Weise, durch Niemand, wer es auch sei, von der Sprengung der Brücke von Jena abhalten lassen, indem ich Ihnen nochmals den bestimmten Befehl dazu wiederhole. Sind die Anstalten so weit, daß die Brücke gesprengt werden kann, so soll es sogleich geschehen, und der General von Bülow benachrichtigt werden, daß er seinen Einzug über die nächste Brücke nimmt. Ich empfehle Eurer Excellenz nochmals die Beschleunigung der Sprengung.*)

Na, und nun thun Sir mir den Gefallen, Freund Gneisenau, und reiten Sie selbst nach Paris, geben Sie dem General Zieten selbst meinen Brief, und sagen Sie ihm mündlich noch, was zu sagen nöthig ist, und daß die Sprengung geschehen muß, hören Sie, geschehen muß, um Preußens Ehre wieder rein zu waschen von dem alten Schmutzfleck an seiner Stirn. Wir haben uns wieder aufgerichtet aus der Erniedrigung, wir können's Haupt wieder muthig erheben, und wir wollen eine reine, fleckenlose Stirn haben. Das sagen

*) Varnhagen v. Ense. S. 476.

Sie dem Zieten, mein Freund, und sagen Sie ihm, er soll nicht so devot und dienstbeflissen gegen die Franzosen sein, und nicht so bei dem französischen König herumscharwenzeln, und sich liebes Kind machen. Was wär' denn der Monsieur Louis von Gottes Gnaden, wenn wir Preußen ihn nicht auf der Spitze unserer Bajonette wieder auf seinen Thron rauf gehoben hätten? Daran soll der Herr König von Frankreich noch ein Bischen gedenken, und nicht so übermüthig werden, und darum habe ich ihm vor seinen Tuilerien recht hübsche große preußische Kanonen aufgefahren, die Mündung gerade gegen das Schloß gerichtet, und darum stehen bei den Kanonen und als Wache vor dem Schloß preußische Artilleristen, damit der König doch daran denkt, daß wir Preußen eigentlich die Herren von Paris sind, und der Lilienthron durch das Feuer preußischer Kanonen wieder aufgeblüht ist. Sagen Sie das Alles dem Zieten, General, und sagen Sie ihm, morgen Mittag müßt die Sache abgethan sein.

Ich werde ihm genau die Worte Eurer Durchlaucht wiederholen, sagte Gneisenau, und ich werde selbst nachsehen, wie weit die Vorarbeiten zur Sprengung an der Brücke gediehen sind. Leben Sie wohl, Durchlaucht.

General Gneisenau war kaum hinaus gegangen,

als Blücher's Stentorstimme nach Christian Hennemann rief.

Sofort öffnete sich eine Seitenthür und der Pipenmeister trat ein, den Pfeifenkasten in der Hand, und eine lange Thonpfeife im Munde. Mit gravitätischer Gleichgültigkeit schritt er über den schönen türkischen Teppich, der den Fußboden bedeckte, dahin, und setzte den Pfeifenkasten mitten auf den mit Landcharten bedeckten Tisch, an dem Napoleon sonst seine Schlachten überdacht hatte.

Blücher, lang ausgestreckt auf dem Divan, und recht mit Behagen seine Sporenstiefel auf die goldenen Bienen legend, schaute dem Treiben seines Pipenmeisters mit vergnüglichem Gesicht zu, und lachte laut auf, als dieser jetzt in gemüthlicher Ruhe das Federmesser von dem kaiserlichen Schreibtisch nahm, und es als Bohrer für die Thonpfeife seines Herrn benutzte, damit der Taback in der Pfeife ein wenig aufloderte.

Ich wollt' man bloß, rief er, der Bonaparte könnte einen Augenblick hier herein schauen, und zusehen, wie's der Blücher sich in seinem Kabinet so recht bequem gemacht hat. Na nu sag mal, Pipenmeister, wie gefällt es Dir denn nun hier in der kaiserlichen Residenz in St. Cloud? Bist Du zufrieden mit dem Quartier, und möchtest immer so hier wohnen?

Nein, sagte Christian verächtlich, möcht' nicht in dem langweiligen Putzschrank immer drin stecken. Es ist mir zu fein und zu blank hier. 'N ehrlicher Mensch muß immer fürchten, daß er auf dem spiegelglatten Fußboden hier ausgleitet, und auf die Nase fällt, und dann würden die Franzosen sagen, die dummen Deutschen könnten nicht auf ihren eigenen Füßen stehen. Ist 'n übermüthiges Volk, die Franzosen, und dabei sind sie doch so dumm, daß sie nich mal deutsch verstehen, und ganz verwundert die Augen aufreißen, wenn 'n ehrlicher Kerl ihnen die Ehre anthut, und sie deutsch anredet. Sollten doch dankbar sein, daß wir gar nicht hochmüthig und stolz thun, obwohl wir Sieger sind, und daß wir mit ihnen reden wollen in unserer Sprach'! Aber sie verstehen sie nicht, und wollen sie auch nicht lernen, und sind überhaupt noch immer übermüthig und unangenehm. Ich wollt', wir wären erst hier fort aus dem abscheulich schönen Schloß! Was geht mich die Pracht an, die mir nicht gehört! 'Ne Bauernhütte, die mir gehört, ist mir lieber als all die Herrlichkeit hier, und 'ne Biene, die in meinem eigenen Bienenkorb summt, ist tausend Mal mehr werth, als all die goldenen Bienen da auf Ihrem Sopha.

Hast Recht, Pipenmeister, sagte Blücher, behaglich seine Pfeife dampfend, die goldenen Bienen haben dem Bonaparte nicht so viel Honig gesammelt, als 'ne einzige Biene sammelt, die der liebe Gott geschaffen hat. Na, sei man ruhig, Pipenmeister, wenn wir nun wieder nach Kunzendorf heimkehren, und so Gott will, soll das bald geschehen, dann sollst Du auch Deinen eigenen Bienenstock haben, und Dein eigenes Haus. Hab' mir schon Alles hübsch ausgedacht, wie's werden soll, und was ich aus Dir machen will, und hab' schon meinen Schlachtplan fertig. Du hast mir allzeit treu und mit rechter Herzenslieb' gedient, und ich bin Dir dafür, und auch für den Hieb bei Ligny — Du weißt doch noch, wo ich Dein Pferd durchsäbelte, und Du drunter zu liegen kamst, — bin Dir für Alles das noch Deine Belohnung und Bezahlung schuldig.

So, Herr Fürst, rief Christian trotzig, Sie wollen mich bezahlen und ablohnen, Sie denken, das geht man so. Ich kann Ihnen aber sagen, daß der Christian Hennemann nicht den ganzen Krieg als tapferer Pipenmeister mitgemacht hat, und in Sturm und Kanonendonner und Kartätschenhagel immer dicht hinter seinem tollen Feldherrn geblieben ist, bloß um nachher bezahlt zu werden. Um Geld und Lohn hätt' ich nicht meine Arm und Bein zerschlagen und zerschießen lassen, und 's Vaterland hab' ich just auch nicht damit gerettet, daß ich, wenn die Kugeln sausten und die Kartätschen pfiffen, doch immer 'n Stummel für den Feldmarschall bereit hielt. Ich hab's blos gethan, weil ich meinen Feldmarschall lieb habe, weil er meinem alten Vater so'n schönes sorgenloses Leben bereitet hat, weil er sich meiner erbarmt, und aus 'nem dummen Dorfteufel, der ich war, als ich zu Ihnen kam, einen ansehnlichen respectabeln Menschen und vornehmen Pipenmeister gemacht hat. Ich hab's bloß gethan, nicht weil Sie der Fürst sind, sondern weil Sie der Blücher sind, und weil Sie Sich, obwohl Sie 'n vornehmer Herr sind, doch 'n gutes braves mecklenburgisches Herz bewahrt haben, und weil Sie's liebe Mecklenburg und Ihr Mutting und Vating nicht vergessen haben. Darum bin ich Ihnen treu gewesen und bin mit Ihnen durch Dick und Dünn gestampft, darum bloß, weil ich Sie lieb habe. Aber so was läßt sich nicht belohnen und bezahlen, und darum lassen's man gut sein damit. Ich will bleiben, was ich bin, der Pipenmeister, und damit Basta!

Nein, damit nicht Basta! rief Blücher lachend. Du sollst der Pipenmeister bleiben, aber Du sollst noch was Anderes werden, Christian. Red' mir nicht dagegen, der König hat mich belohnt, und ich muß Dich belohnen. Du sagst, das Vaterland hättest Du nicht gerettet, daß Du mir mitten in der Schlacht immer 'nen Stummel bereit gehalten hättst! Aber ich hätt' doch nicht commandiren und Schlachten gewinnen können, wenn meine Pfeife nicht ordentlich gebrannt hätte. Also im Grunde genommen hast Du eigentlich das Vaterland gerettet, denn sie sagen ja, daß ich es gerettet hab'. Aber der liebe Gott da droben, der hat freilich das Meiste und Beßte gethan, und also wollen wir denn auch nicht übermüthig werden, sondern fein bescheiden bleiben, und dem lieben Gott die Ehre geben. Aber bloß Pipenmeister kannst Du nicht bleiben, Christian, eben so wenig, als ich bloßer General geblieben bin. Mein Förster ist gestorben, wie Du weißt, na, und Du wirst nun Förster in Kunzendorf, Christian. Hast Dein eigen Haus und Feld, siehst drauf, daß die Diebe mir's Holz nicht fällen, das Wild nicht aus dem Wald mausen, und schießt mir recht viel Wild. Na, bist Du zufrieden, Christian?

Ja, rief Christian mit Thränen in den Augen,

wär' zufrieden und glücklich, wenn's Försterhaus nicht im Wald läge. Aber es liegt im Wald, und also nehm ich die Stelle nicht an, und dank dem Herrn Fürsten viel Mal.

Wie? Grauelt Dir vor'm Wald? fragte Blücher erstaunt.

Nein, nicht vor'm Wald grault mir, aber davor, daß ich so weit von Ihnen fort soll, und daß ich dann nicht mehr ordentlich für Sie sorgen kann. Wer soll denn Ihre Pfeifen stoppen, wenn ich im Wald bin und Hasen schieße? Was soll denn aus Ihnen werden, wenn der Stummel nicht brennt? Es geht nicht, Herr Fürst, ich kann nicht Förster werden, ich muß Pipenmeister bleiben.

Na, denn bleib's, Christian, rief Blücher fröhlich. Aber das kleine Haus, was am Garten steht dicht beim Schloß, das schenk' ich Dir, und da drin sollst Du wohnen, und Dein Stück Ackerland sollst Du haben, und Deine eigene Wirthschaft auch, und 'ne Frau sollst Du Dir nehmen, und die Male und ich, wir besorgen Deiner Braut die Aussteuer, und geben die Hochzeit. Und Christian, ich weiß auch schon 'ne Frau für Dich! Der Dorfschulze hat 'ne hübsche Tochter, und er ist reich. Die Tochter sollst Du heirathen.

Danke schön, sagte Christian gelassen, die ist mir viel zu hübsch und zu reich.

Nun, das sind Fehler, die man ihr verzeihen kann, lachte Blücher. Wenn Du sonst nichts an ihr auszusetzen hast —

Ich hab' aber sonst noch was an ihr auszusetzen. Sie ist keine Mecklenburgerin, sie kann nicht Plattdeutsch sprechen, und 's grusselt mir, wenn ich denk', ich sollt' mit meiner Frau immer Hochdeutsch sprechen. Nein, Durchlaucht, ich sprech' mit meinem Vating, mit 'n lieben Gott, und manchmal auch mit meinem lieben Fürsten Blücher Plattdeutsch, und also muß ich auch mit meiner Frau Plattdeutsch sprechen können.

Na, denn geh' nach Mecklenburg, und such' Dir 'ne Frau.

Hab' da schon eine gefunden, Herr Fürst. Die Hanne in Polchow auf dem Herrenhof, das ist schon seit vier Jahren meine Braut, und die und keine andere soll meine Frau werden.

Ist sie hübsch? Hat sie Geld?

Hübsch? Ich weiß nich, Durchlaucht, aber sie ist 'ne drall' Dirn mit 'nen Paar lustigen Augen, und zweiunddreißig gesunden Zähnen im Mund, und hat rothe Backen, und schöne blonde Haare. Ob sie Geld hat? Nich so viele Thaler als sie Zähne hat, aber sie kann arbeiten, und ihre Hände rühren, ist flink und geschickt, singt und lacht den ganzen Tag bei der Arbeit, und versteht 'n Mittagbrod zu kochen, wie keine Andere.

Na, so nimm sie, Christian, die Aussteuer und die Hochzeit besorg' ich.

Hurrah, rief Christian, ich soll die Hanne kriegen! Die Hanne soll meine Frau werden. Ach, lieber Herr Fürst, ich dank' Ihnen, ich bin so glücklich, daß ich heulen und weinen könnt, und — ich glaub, ich thu's schon. Ich bin's sonst gar nicht gewohnt gewesen, glücklich zu sein, und darum muß ich nu weinen, und, und —

Na, na, weine nicht, Christian, sagte Blücher, sich schnell mit der Hand über die Augen fahrend, Du bist ein prächtiger, guter Bursche, und der liebe Gott wird geben, daß Du noch recht lange glücklich bist, und Dich gewöhnst an das Glück. Und — es klopft. Sieh mal nach, wer da kommt!

Christian trocknete rasch seine Thränen, und eilte nach der Thür hin.

VI.

Der Blüchertoast.

Es war der Adjutant des Fürsten, Graf Nostitz, welcher Einlaß begehrte. Er meldete, daß so eben ein reitender Bote von dem Grafen von der Golz, dem preußischen Gesandten in Paris hier in St. Cloud eingetroffen sei, und überreichte dem Fürsten einen Brief des Grafen Golz, den der Bote für den Feldmarschall überbracht hatte.

Na, ich kann mir schon denken, was der Graf will, brummte Blücher. Hat schon einmal an mich geschrieben und mich um Schonung und subtile Behandlung der Herren Franzosen gebeten. Ist auch einer von Denen, welche meinen, man müßt' die Franzosen immer mit seidenen Handschuhen anfassen, und recht höflich und artig gegen sie sein, damit man dadurch beweise, daß man selber ein feiner und gebildeter Mann sei und Respect habe vor den feinen, klugen Franzosen. Ich hab' aber gar keinen Respect vor ihnen, und mir ist's ganz egal, ob sie mich für einen Barbaren halten, ich will man blos sie abstrafen und Deutschland rächen, weiter nichts. Na, nun wollen wir mal sehen, was der Herr Graf schreibt.

Er schlug den Brief auseinander und las. Aber seine Züge nahmen während des Lesens einen zornigen Ausdruck an und seine dicken weißen Augenbrauen zogen sich dichter zusammen.

Nostitz, rief er, wissen Sie, was der Graf von mir will? Er verlangt, daß ich die Brücke von Jena nicht sprengen soll, er meint, man würde das als eine barbarische Grausamkeit rügen und auch unser König würde unzufrieden damit sein. Und die Hauptsach ist, daß er hinzufügt, der Herr Fürst von Talleyrand sei eben bei ihm gewesen, und in des Herrn Fürsten Namen solle er mich dringend um die Erhaltung der Brücke ersuchen. Na, was sagen Sie dazu, Nostitz?

Graf Nostitz zuckte die Achseln und schwieg.

Ich will Ihnen zeigen, was ich dazu sage, rief Blücher. Warten Sie mal hier, ich will gleich selbst die Antwort an den Grafen schreiben und Sie können sie dem Boten geben. Ih, sehen Sie mal, der Herr

Fürst von Talleyrand läßt bitten, daß die Brücke von Jena nicht gesprengt werde!

Er trat rasch zu dem Schreibtisch hin, an welchem Napoleon so oft seine stolzen und hochfahrenden Briefe an den König von Preußen geschrieben, und mit fliegender Hand warf er einige Zeilen von kühner, riesengroßer Schrift auf das Papier hin.

So, sagte er dann, nun hören Sie mal meine Antwort an den Grafen!

Und mit hochfliegendem Athem, das Antlitz noch geröthet von Zorn, las Blücher: „Herr Graf! Ich habe beschlossen, daß die Brücke gesprengt werden soll, und kann Euer Hochgeboren nicht verhehlen, daß es mich recht lieb sein würde, wenn Herr Talleyrand sich vorher druffsetzte, welches ich Euer Hochgeboren bitte, ihn wissen zu lassen."*) — Na gefällt Ihnen der Brief, Nostitz?

Er ist ein Muster von militairischer Kürze und Entschiedenheit, sagte Graf Nostitz lachend. Aber ich fürchte, daß der Herr Talleyrand Ihren Wunsch leider nicht erfüllen wird.

Für Frankreich wär's aber am Besten, wenn er's

*) Varnhagen. Fürst Blücher von Wahlstadt. 475.

thät, sagte Blücher. Der Talleyrand, das ist der Vater der Schelme und Diplomaten und der hat viel Unglück und Noth über Frankreich gebracht! Ich will Ihnen was sagen, Nostitz, die Diplomaten, das ist 'ne schlimme Sippschaft, und was die brauen und zusammenrühren, damit die Völker es austrinken, daran verderben die armen Völker sich immer den Magen, und werden krank davon, und nachher muß der Soldat doch immer gerufen werden und als tüchtiger Chirurg die Quacksalbereien der Diplomaten wieder gut machen.

Ja, es ist wahr, sagte Graf Nostitz, sie haben auf dem Congreß in Wien nichts Gutes zu Stande gebracht, und es ist nichts herausgekommen bei all' ihren Berathungen.

Der Bonaparte ist dabei rausgekommen, den haben sie entwischen lassen. Geredt und geschrieben haben sie genug, aber die Augen haben sie nicht aufgethan, und statt die Insel Elba gehörig zu bewachen, haben sie getanzt und sich amüsirt, und Länder und Völker vertheilt, als wären's Bonbonnièren, die sie sich im Cotillon austheilen.

Aber das tapfere Schwert des Feldmarschalls Blücher, das hat doch Alles wieder gut gemacht, was die Diplomaten verdorben hatten, und hat Europa befreit von dem Unhold, der so lange wie ein Alp es bedrückte.

Nicht ich allein, Nostitz. Mein Bruder Wellington, der hat eben so viel gethan als ich, und ich hab' ihm blos geholfen, die Schlacht von Belle Alliance zu gewinnen. Mich kränkt's aber noch immer, Nostitz, daß der Bonaparte mir doch noch einen Sieg abgewonnen und daß er bei Ligny mich zum Rückzug gezwungen hat. Und wenn ich denke, daß es mir noch weit schlimmer hätte gehen können, daß ich, wenn Sie mir nicht zu Hülfe gekommen wären, den Franzosen in die Hände gefallen, daß ich ihr Gefangener geworden wär' und sie mich in Triumph nach Paris geschleppt hätten — Nostitz, da hätten Sie mir doch wohl eher das Leben genommen, als mich solcher Schmach preisgegeben? Sagen Sie selbst, ehe mich die Franzosen fortgeschleppt hätten, was hätten Sie gethan?

Was ich gethan hätte? Ich weiß es nicht, aber ich weiß es wohl, was ich hätte thun sollen!

Mir 'nen Gnadenstoß geben! Denn eine Gnade wär's gewesen, mir lieber den Tod zu geben, als mich den Franzosen lebendig in die Hände fallen zu lassen. Na, der liebe Gott hat nicht gewollt, daß es so kommen sollt', er hat es mir gegönnt, daß ich Revanche nehmen soll für Alles, was der Bonaparte mir angethan, daß ich auch Revanche nehmen soll an den Franzosen. Aber die Revanche muß gründlich sein! Und darum muß die Brücke von Jena gesprengt werden. Siegeln Sie also meinen Brief zu und geben Sie ihn an den Courier des Grafen von der Goltz. —

Na, nu hoffe ich, wird es zu Ende sein, murrte Blücher vor sich hin, als er wieder allein war, nu werden sie mich in Ruh' lassen mit dem Flennen und Wimmern, und es wird bald ein tüchtiger Kracher von Paris herübertönen, und wird mir verkünden, daß man meine Befehle respectirt hat und daß die Brücke gesprengt ist! —

Aber Blücher sollte sich in dieser Hoffnung doch getäuscht sehen. Statt des „Krachers", den er erwartete, kam abermals ein Courier von Paris daher gesprengt.

Dieser Courier trug die Livrée des Königs von Frankreich und überbrachte von dem Oberhofmarschall des Königs ein sehr höfliches, sehr verbindliches Schreiben, in welchem der Oberhofmarschall den Fürsten Blücher im Namen des Königs ersuchte, sofort sich in die Tuilerien zu begeben, woselbst König Ludwig ihn in einer dringenden und unaufschiebbaren Sache augenblicklich zu sprechen wünsche.

18*

Ich kenne die dringende und unaufschiebbare Sache schon, sagte Blücher achselzuckend. Der König will nun selber versuchen, was Talleyrand nicht hat zu Stande bringen können. Ich hätt's nun zwar nicht nöthig, dem König den Willen zu thun, und zu ihm zu kommen, um die „Gnade einer Audienz", wie sie das nennen, zu genießen. Aber ich will's thun, um der Sache endlich ein für alle Mal ein Ende zu machen. Ich will zu dem König hingehen, und ich will ihm sagen, daß er sich keine Mühe weiter geben soll und daß die Brücke doch gesprengt wird. — —

Ludwig der Achtzehnte saß auf seinem breiten hochlehnigen Lehnstuhl, dessen ungeheure Weite ganz von der riesigen Körpermasse des alten, siechen, gichtlahmen Königs ausgefüllt war. Er blickte mit düsterem traurigem Auge aus dem Fenster auf die Kanonen hin, die ihre weiten Mündungen gerade seinem Fenster zugewandt hatten.

Ach, seufzte er leise, diese preußischen Kanonenschlünde sagen mir nicht, wie meine Hofleute Schmeicheleien, sondern sie sprechen zu mir mit sehr herben Wahrheiten. Nicht die Liebe und der Enthusiasmus meiner Unterthanen hat genügt mich auf meinen Thron zurückzuführen, sondern es bedurfte dazu noch der Hülfe meiner sogenannten Freunde, welche sich aber dabei sehr als meine Feinde darstellen, und deren insolente Kanonenschlünde mir sagen, daß ich kein freier, selbstständiger König bin, sondern ein Gefangener meiner Befreier!

Sire, sagte die schöne Gräfin Du Cayla, welche neben dem König auf dem kleinen Tabouret saß, und ihre großen brennenden Augen mit einem zärtlichen Ausdruck auf den König heftete, Sire, diese Herren Preußen werden sich ohne Zweifel beeilen ihre Kanonen hier fortzubringen, da Ew. Majestät seit gestern wieder in den Tuilerieen residiren. Wahrscheinlich hat Ew. Majestät schnelle Ankunft sie überrascht, und sie haben nur aus Versehen die Kanonen hier zurückgelassen, welche sie aufgestellt, so lange Ew. Majestät noch nicht da waren, und man von den Bonapartisten noch Ruhestörungen und Revolten erwarten konnte.

Es ist indessen sehr traurig, daß es unter meinen Unterthanen noch immer Bonapartisten giebt, seufzte Ludwig. Leute, die ihren angestammten, rechtmäßigen König nicht anerkennen wollen, und ihm einen Usurpator vorziehen. Ach meine Liebe, ich unterzeichne wohl meine Decrete als in dem einundzwanzigsten Jahre meiner Regierung, aber ich weiß sehr wohl, daß ich noch nicht ein Jahr regiert habe, und daß ich auch in diesem Jahr mehr von den Umständen und der Charte regiert ward, als aus meinem eigenen Willen heraus regierte. Gott weiß, es sind sehr viele Dornen in dieser Krone von Frankreich, und wahrlich, meine lieben Freunde, die Feinde verwunden meine Stirn eben so sehr, wie die Bonapartisten. Sie wollen mir jetzt eine neue Schmach bereiten, die Brücke von Jena vernichten!

Aber Ew. Majestät werden das nicht zugeben, rief die Gräfin, Sie werden es diesen Barbaren verbieten, ein Denkmal des Ruhms von Frankreich zu zerstören.

Wenn ich wirklich König wäre, und verbieten könnte, seufzte Ludwig, dann würde ich die Barbaren verjagen, und Frankreichs Denkmäler hätten nichts von ihrer Brutalität zu fürchten.

Sire, sagte der Oberhofmarschall, welcher leise in das Kabinet eingetreten war, der Fürst Blücher ist eben in die Tuilerien gekommen; und bittet Ew. Majestät demüthig um die Gnade einer Audienz.

Höflingsphrasen, sagte Ludwig achselzuckend, Sie wissen wohl, daß ich den Fürsten habe bitten lassen, zu mir zu kommen, lassen Sie ihn eintreten. Und Sie, meine Liebe, treten Sie hinter den Schirm dort, und seien Sie eine unsichtbare Zeugin meiner Unterredung mit dem Fürsten Blücher. —

Die Thür öffnete sich, und unter Vortritt des Oberhofmarschalls trat Fürst Blücher in seiner einfachen Husaren-Uniform, ohne Orden und Stern auf der Brust, zu dem König ein.

Mit einer leichten, wenig ceremoniellen Verbeugung näherte er sich dem König, der ihm, in seinem Lehnstuhl sitzend, einen gnädigen Gruß zunickte.

Sire, sagte Blücher, der Anrede des Königs zuvorkommend, Ew. Majestät haben mich hieher befohlen, und ich bin gekommen, aber ich benachrichtige Eure Majestät, daß ich durchaus kein Wort französisch verstehe.

Mein Herr, sagte der König, meine Mutter war eine Deutsche, ich darf daher Ihre Sprache fast meine Muttersprache nennen, und wir wollen uns also in derselben unterhalten. Herr Feldmarschall, die Feinde des Königs, Ihres Herrn, behaupten, daß Sie auf seinen Befehl ein Monument meiner Hauptstadt zerstören wollen, dessen Name allein Ihren Verdruß erregen kann, — ich will aber dieser Behauptung keinen Glauben schenken. Aber da ich meinen Alliirten gefällig zu sein wünsche, habe ich Befehl gegeben, daß die Brücke von Jena von jetzt an Brücke der Militair-Schule genannt werde, und ich habe Ihnen das selbst sagen wollen, damit Sie Ihren Souverain davon benachrichtigen.

Sire, sagte Blücher rauh, ich kann nicht ein Monument in Paris bestehen lassen, das eine Beleidigung für meine Nation ist. Die Brücke von Jena muß verschwinden, und ihre Trümmer sollen der Nachwelt ein Zeugniß sein, daß Preußen nicht gezögert hat, seine Revanche zu nehmen.

Sie sind sehr strenge, Herr Feldmarschall. Genügt es Ihnen nicht, zwei Mal mit bewaffneter Hand in Paris eingezogen zu sein, und wollen Sie empfindungslose Steine für den Namen strafen, den man ihnen gegeben?

Bonaparte hat die Victoria vom Thor in Berlin fortgenommen, rief Blücher heftig, wir müssen Repressalien gebrauchen.

Dann wäre es eigentlich richtiger, daß Sie die ganze Brücke fortnähmen, statt daß Sie sie in den Fluß werfen, sagte der König mit einem ironischen Lächeln.

Blücher schleuderte auf ihn einen wilden, trotzigen Blick. Nichts wird mich abhalten von meinem Vorsatz, rief er. Ich will eine eclatante Rache nehmen für alle Beleidigungen, die mein Vaterland erduldet hat.

Sie wollen also auf mein Haupt die Beleidigungen zurückfallen lassen, die Sie vielleicht von einem Andern erduldet haben, sagte der König in lautem, zürnendem Ton. Ich rathe Ihnen indessen, Feldmarschall, mich nicht auf's Aeußerste zu treiben. Ich könnte sonst einen verzweifelten Entschluß fassen, der auf der Stelle meiner Krone ihre Würde wiedergeben, und die vermeintlichen Sieger in eine mißliche Lage bringen könnte.

Thun Sie das, Sire, sagte Blücher trotzig, es muß ein Jeder nach seinen Grundsätzen und seinem Gewissen handeln, ich werde das auch thun, und habe die Ehre, mich Ew. Majestät zu empfehlen.*)

Er verneigte sich flüchtig, und dem König den Rücken zuwendend, verließ er mit lauten, dröhnenden Schritten das Kabinet.

Der König schauete ihm mit blitzenden Augen nach, und als die Gräfin du Cayla wieder hinter dem Schirm hervortrat, sah sie, daß Ludwig sich ganz allein aus seinem Lehnstuhl erhoben hatte, und seiner Gicht und seiner Schmerzen nicht achtend, zu seinem Schreibtisch hinging.

---

*) Diese ganze Unterredung ist historisch. Siehe darüber: Mémoires d'une dame de qualité. Vol. I. 320.

Sire, rief die Gräfin zu ihm hinstürzend, um seine schwerfällige, wankende Gestalt zu unterstützen, Sire, was wollen Sie thun?

Ich will an den König von Preußen schreiben, rief Ludwig mit vor Zorn zitternder Stimme. Ich will meine Ehre nicht ruhig erwürgen lassen, und ich will Denen, welche es bezweifeln wollen, beweisen, daß noch Muth in diesem von Schmerzen geschwächten Körper wohnt. —

Er nahm hastig die Feder, und schrieb:

„Mein Herr Bruder! Der Feldmarschall Blücher mißbraucht Ihre Befehle, um die Zerstörung der Brücke von Jena, deren Namen ich verändert habe, und die jetzt Brücke der Militair-Schule heißt, anzuordnen. Diese unpassende Handlung könnte mich leicht mit meinen Unterthanen in Unfrieden bringen, weil sie glauben könnten, sie sei mit meiner Zustimmung geschehen. Sie würde meine Krone in Mißkredit bringen, denn ich bin in Paris, und ich setze voraus, daß Paris noch immer meine Residenz ist. Ich bitte Ew. Majestät, mit Ihrer Autorität einzuschreiten; es ist eine Gnade, welche ich von Ihnen erflehe. Wenn Sie indessen mir dieselbe nicht bewilligen wollen, so beschränke ich mich darauf, Sie aufzuforden, mich die

Stunde wissen zu lassen, in der man die Brücke zerstören will, damit ich mich alsdann mitten auf dieselbe setzen kann. Ludwig."*)

Während ein Courier mit diesem Handschreiben Ludwigs des Achtzehnten an den König von Preußen nach dem unweit von Paris belegenen Hauptquartier des Monarchen hineilte, schrieb Blücher, nach St. Cloud zurückgekehrt, an den General von Zieten:

„Euer Excellenz wollen die Sprengung der Brücke von Jena mit größter Thätigkeit fortsetzen, damit dieses zu unserer Beschimpfung errichtete Denkmal spätestens bis morgen früh um zehn Uhr vernichtet sei. Ew. Excellenz wollen in dieser Hinsicht allen Einwendungen, selbst von englischer Seite, gar kein Gehör geben, und nur dahin streben, diese Arbeit in kürzester Zeit zu beendigen. Blücher."**)

Am andern Morgen um zehn Uhr tönte von Paris her lautes Donnern und Krachen, welches das Herz des alten Blücher mit Freude erfüllte.

Hurrah, Gneisenau, rief er frohmüthig. Es ist geschehen. Die Jena-Brücke ist zerstört. Nun können

*) Dame de qualité, I. 322.

**) Varnhagen v. Ense: Fürst Blücher von Wahlstadt. 476.

wir Preußen uns stolz in Paris zeigen. Das Denkmal unserer Schmach ist vernichtet.

Aber eine halbe Stunde später sprengten zwei Couriere in den Hof des Schlosses von St. Cloud.

Der eine brachte vom General von Zieten die Nachricht, daß die Sprengung der Brücke mißlungen und das Pulver in der Luft zerplatzt sei, aber die Brücke nur wenig beschädigt habe.*)

Der zweite Courier überbrachte dem Fürsten ein Handschreiben des Königs von Preußen, in welchem derselbe seinem Feldmarschall die ernste und bestimmte Weisung gab, von der Sprengung der Brücke abzustehn, und keine weitern Versuche deshalb zu machen.

Es ist vorbei, sagte Blücher, die Franzosen haben nun doch wieder gesiegt, und mir 'ne Schlacht abgewonnen. Unsere Schmach von Jena bleibt bestehen, und alle unsere Siege haben sie nicht ausgelöscht. Ach, Gneisenau, ich fange an zu glauben, daß alle unsere Siege, und alles Große, was die Deutschen in diesen letzten Jahren gethan, und alle ihre Heldenkämpfe doch vergeblich gewesen, und daß für das arme deutsche Volk wenig Vortheil und Segen davon übrig bleiben

*) Varnhagen. 477.

wird. Wir Soldaten, und das tapfere deutsche Volk, wir hatten unsere Sache wohl recht gut gemacht, aber die Diplomaten, die Diplomaten, die haben Alles verdorben. Was wir auf den Schlachtfeldern erworben, das ist in Wien von den Herren des Congresses wieder fortgeworfen worden, und nun wird Alles bleiben, wie es ist, und das deutsche Volk wird immer der Aschenbrödel der Nationen bleiben! —

Am Abend dieses Tages fand beim Herzog von Wellington ein großes Souper statt, auf dem alle Generäle, Minister und Diplomaten der Alliirten versammelt waren.

Es war eine heitere und frohbewegte Gesellschaft, und mancher Toast ward ausgebracht. Blücher indeß war heute ernster und stiller, wie er sonst zu sein pflegte, und schaute oft düster vor sich hin.

Endlich, nachdem Wellington, neben dem er saß, einen langen und wortreichen Toast ausgebracht, erhob sich auch Blücher von seinem Sitz. Er nahm sein Glas, und ein trotziger Ausdruck leuchtete von seinem gerötheten Angesicht.

Na, sagte er, jetzt will ich Euch auch einmal was ausbringen. Nu hört mal!

Und mit blitzenden Augen umher schauend, rief er,

sein Glas hoch emporhebend: Mögen die Federn der Diplomaten nicht wieder verderben, was durch die Schwerter der Heere mit so vieler Anstrengung gewonnen worden.*)

---

*) Dieser Toast machte damals durch ganz England die Runde, ward überall mit lautem Jubel aufgenommen und man nannte ihn den „Blücher-Toast.“ Siehe: Varnhagen. 479.

VII.

St. Helena.

Am andern Tage, nachdem Napoleon sich auf die Insel Aix begeben, waren alle Ausgänge des Hafens von englischen Schiffen blockirt, aber noch einmal ließen die jungen Marine-Officiere dem Kaiser ihre Dienste anbieten, versicherten, daß es ihnen mit ihren leichten Fahrzeugen gelingen werde, allen englischen Kreuzern zum Trotz den Hafen zu verlassen und die hohe See zu gewinnen. Noch einmal ließ Capitain Baudin den Kaiser beschwören, sich ihm anzuvertrauen und auf seinem dänischen Schiff in dem sichern Versteck nach Amerika zu entfliehen.

Der Kaiser lehnte alle diese Vorschläge ab. Schweigend und unentschlossen verweilte er zwei Tage noch auf der Insel Aix. Dann berief er alle die Herren seines Gefolges zu einem Kriegsrath zusammen und besprach sich mit ihnen über die zu ergreifenden Maßregeln.

Vorher aber hatte der Kaiser den Grafen Las Cases noch einmal zu dem Capitain Maitland geschickt, und diesen fragen lassen, ob er glaube, daß man dem Kaiser, wenn er sich freiwillig auf englisches Gebiet begebe, dort gastliche Aufnahme bewilligen, oder ob man ihn als Gefangenen behandeln werde.

Capitain Maitland hatte diese letztere Frage mit edlem Unwillen zurückgewiesen und erklärt, daß England sich niemals so erniedrigen würde, Denjenigen, welcher sich Schutz suchend auf Englands gastfreien Boden begebe, als Gefangenen zu behandeln. Er hatte feierlich versichert, daß Napoleon in England ehrenvolle Aufnahme finden werde. Er hatte hinzugefügt, daß er jetzt vom Admiral Hotham seine Verhaltungsbefehle erhalten habe und daher ganz bereit sei den Kaiser mit seinem Gefolge auf dem Bellerophon aufzunehmen, und daß, sobald er den Boden seines Schiffes betreten, er sich auf englischem Boden und unter dem Schutz englischer Gesetze befinde.

Napoleon berieth sich lange und ausführlich mit seinem kleinen improvisirten Kriegsrath, und das Ergebniß der Berathung war, daß es das Beste und Gerathenste sei, wenn der Kaiser sich mit seinem Gefolge auf den Bellerophon begebe, die Gastfreundschaft

Englands für sich und seine Begleiter beanspruche, und den Prinz-Regenten von England um seine Einwilligung zur Napoleons-Niederlassung in England ersuchen solle.

Ich will eigenhändig an den Prinz-Regenten schreiben, sagte Napoleon, warten Sie meine Herren, Sie sollen meinen Brief lesen.

Er setzte sich, nahm die Feder zur Hand und ohne zu überlegen und zu sinnen, warf er rasch einige Zeilen auf das Papier, das er dann dem Herzog von Rovigo darreichte.

Lesen Sie, Herzog, sagte er, lesen Sie laut, denn nur wenn mein Schreiben Ihrer Aller Billigung findet, will ich es unterzeichnen.

Der Herzog las: „Königliche Hoheit! Im Kampf mit den Factionen, die mein Land zerfleischen, und mit der Feindschaft der größten Mächte Europa's, habe ich meine politische Laufbahn beendigt. Ich komme, mich, gleich Themistocles an dem Heerd des britischen Volkes niederzusetzen. Ich stelle mich unter den Schutz seiner Gesetze, welche ich von Ew. Königlichen Hoheit, als dem mächtigsten, standhaftesten und großmüthigsten meiner Feinde beanspruche."*)

---

*) Mémorial de Saint-Hélène par le Comte de Las Cases. Quart-Ausgabe. S. 6.

Nun, fragte Napoleon, genügt das?

Ja, Sire, sagte General Bertrand traurig, es genügt vollkommen, wenn einmal Ihre Uebersiedelung nach England fest beschlossen ist.

Es ist in diesen wenigen Zeilen Alles gesagt und ausgesprochen, was ein tapferer edler Besiegter seinem großmüthigen Sieger sagen und zugestehen kann, rief General Gourgaud.

Der Prinz-Regent wird diesen erhabenen rührenden Worten nicht widerstehen können, sagte Savary, er wird sich beeifern, dem edlen Vertrauen, welches Eure Majestät in ihn setzen, Ehre zu machen.

Der Kaiser nahm die Feder und unterzeichnete.

General Gourgaud, sagte er dann, ich sende Sie als Boten mit diesem Brief an den Prinz-Regenten von England. Sie werden mein Schreiben nur dem Prinz-Regenten persönlich übergeben. Sagen Sie ihm, daß ich nichts mehr begehre, nichts mehr fordere, als ein Asyl, um darin still und unbemerkt mein Leben zu beschließen, daß meine Thatkraft erschöpft, mein Ehrgeiz an Uebersättigung gestorben sei. Sagen Sie ihm, daß ich gar keine Auszeichnungen, keine Ehrenbezeugungen beanspruche, und daß ich, um diese zu vermeiden, sobald ich den Fuß auf den englischen Boden setze, meinen

Namen, meinen Rang ablegen wolle. Nicht Napoleon wird in England eine Zuflucht finden, sondern nur der Hauptmann Duroc.*) — Ich weiß, daß Duroc, wenn es ihm vergönnt ist auf diese Erde zu schauen, es zufrieden sein wird, daß ich ihn wieder aufleben lasse in mir, und mich unter den Schutz seines Namens stelle, um noch einige stille, friedliche Tage zu durchträumen. — Gehen Sie also, Gourgaud, übergeben Sie dem Prinz-Regenten meinen Brief, sagen Sie ihm, daß ich als Hauptmann Duroc in England landen will. Damit ist Alles gesagt! Lassen Sie aber erst eine Abschrift meines Briefes nehmen. Diese Abschrift soll der Graf Las Cases auf den Bellerophon zu dem Capitain Maitland tragen, und er soll ihm anzeigen, daß ich morgen mit Ihnen Allen an Bord des Bellerophon kommen werde! —

Und wie der Kaiser es bestimmt hatte, so geschah es. Am andern Tage, am funfzehnten Juli, begab sich Napoleon mit seinem Gefolge an Bord des Bellerophon.

Der Capitain Maitland empfing den Kaiser an der Schiffsleiter stehend, alle übrigen Matrosen und Soldaten des Schiffs standen in Parade auf dem Deck. Napo-

*) Las Cases: Mémorial. 11.

leon grüßte den Capitain mit einem leisen Kopfneigen, und seine Augen fest auf ihn heftend, sagte er: ich komme zu Ihnen an Bord, um mich unter den Schutz der englischen Gesetze zu stellen.

Capitain Maitland verneigte sich stumm, und der Kaiser schritt vorwärts durch die Reihen der englischen Marinesoldaten dahin, welche ihm die einem gekrönten Haupte schuldigen Ehrenbezeugungen erwiesen.

Auf der kleinen Erhöhung am Vordertheil des Schiffs blieb der Kaiser stehen, und schauete hinüber nach der französischen Brigg, welche ihn hergebracht, und die jetzt bereit war, in den Hafen zurückzusegeln.

Die ganze Mannschaft des französischen Schiffes war auf dem Deck aufgestellt, alle Gesichter waren dem englischen Schiff zugekehrt, Aller Augen waren auf den Kaiser geheftet, der da, allein, die Arme in einander geschlagen, das bleiche Antlitz beschattet von dem kleinen dreieckigen Hut, auf dem englischen Schiff stand, und seine düster flammenden Blicke auf sie heftete.

Das Zeichen zur Abfahrt ward gegeben, und jetzt schwenkten die französischen Soldaten und Matrosen ihre Mützen, ihre Arme empor, und mit lautem, donnerndem Brausen tönte es herüber: Vive l'Empereur! Vive l'Empereur!

Es war das letzte Mal, daß Napoleon diesen Ruf vernahm! — —

Am andern Tage lichtete der Bellerophon die Anker, um nach England zu segeln, und dort, wie der Kaiser meinte, ihn und sein Gefolge an das Land zu setzen. —

Aber die Tage vergingen, der Bellerophon war schon in dem Hafen von Plymouth angelangt, und immer noch war keine Kunde von England gekommen, immer noch wußte Napoleon nicht, ob der Prinz-Regent seinen Wunsch genehmigt habe, ob er ihm gestatten wolle, in England als Hauptmann Duroc sich niederzulassen.

Endlich, am achtundzwanzigsten Juli, kam Gourgaud, — aber er brachte den Brief Napoleons an den Prinz-Regenten wieder mit sich. Man hatte ihn nicht an der englischen Küste landen lassen, man hatte sein Schreiben zurückgewiesen, weil der Prinz-Regent feierlich erklärt hatte, weder eine schriftliche noch mündliche Botschaft empfangen zu wollen.

Das Gefolge Napoleons nahm die Nachricht mit Entsetzen auf, aber der Kaiser selbst blieb ruhig. Er blieb auch dann noch ruhig, als Bertrand und Savary ihm von den Gerüchten Nachricht gaben, welche sich auf dem Schiff verbreitet hatten, welche vom Lande herübergeweht waren, und die Einer dem Andern in's Ohr flüsterte, von den Gerüchten, welche sagten, daß England Napoleon als Gefangenen betrachten, und nach einer wüsten Insel im Ocean, nach St. Helena führen werde.

Nein, sagte Napoleon gelassen, das sind Verleumdungen. Ich habe mich freiwillig unter den Schutz Englands gestellt. Ich habe die Gastfreundschaft Englands beansprucht, und es wird und kann nicht so ehrlos handeln, mich, allem Kriegsrecht, aller Moral zum Trotz, als seinen Gefangenen betrachten zu wollen.

Aber bald sollte der Kaiser aus seinem Vertrauen aufgeschreckt werden.

Am dreißigsten Juli kam der Admiral Keith mit dem Unterstaats=Secretair Banbury an Bord des Bellerophon; sie begaben sich in die Cajüte zu Napoleon, der sie ernst und würdevoll empfing.

Sie theilten ihm mit, daß sie gekommen, ihm endlich die Entscheidung seines Schicksals zu bringen, und Lord Keith bat um die Erlaubniß, ihm die Depesche vorlesen zu dürfen, welche er so eben von den Ministern Englands erhalten habe.

Napoleon ertheilte diese Erlaubniß mit einem lang=

samen, stolzen Kopfnicken, dann, die Hand auf den Tisch gestützt, aufrecht stehend, den Admiral mit flammenden Blicken anstarrend, hörte er der Vorlesung der ministeriellen Botschaft zu.

Diese Botschaft lautete: „Mittheilung an Lord Keith im Namen der Minister Englands.

„Da es dem General Bonaparte angenehm sein mag, ohne längere Verzögerung die Absichten des brittischen Gouvernements in Bezug auf seine Person zu erfahren, so ermächtigen wir Ew. Herrlichkeit, ihm folgende Informationen mitzutheilen.“

„Es wäre wenig übereinstimmend mit unsern Pflichten gegen unser Land und die Alliirten Sr. Majestät, wenn wir dem General Bonaparte die Mittel und die Gelegenheit ließen, den Frieden Europa's auf's Neue zu beunruhigen; deshalb ist es durchaus nothwendig, daß er in seiner persönlichen Freiheit so weit beschränkt werde, als es dieses erste und wichtigste Augenmerk erheischt.“

„Die Insel St. Helena ist zu seinem künftigen Aufenthaltsort bestimmt worden; ihr Klima ist gesund, und ihre locale Lage erlaubt, daß man ihn dort mit mehr Nachsicht behandeln kann, wie man es anderswo dürfte, in Anbetracht der unvermeidlichen Vorsichtsmaßregeln, zu denen man genöthigt ist, um seiner Person gewiß zu sein."

„Man erlaubt dem General Bonaparte, unter den Personen, die ihn nach England begleitet haben, mit Ausnahme der Generäle Savary und Lallemand, sich drei Officiere zu wählen, welche, gleich seinem Chirurgen, die Erlaubniß erhalten werden, ihn nach St. Helena zu begleiten, aber die Insel nicht ohne die Einwilligung des brittischen Gouvernements wieder verlassen können.

Der Contre-Admiral Sir George Cockburne, der zum Commandanten en Chef des Kaps der guten Hoffnung und der begrenzenden Meere ernannt ist, wird den General Bonaparte und sein Gefolge nach Helena bringen, und genaue Instructionen, die Ausführung dieses Dienstes betreffend, erhalten."

„Sir George Cockburne wird wahrscheinlich schon in einigen Tagen zur Abfahrt bereit sein, deshalb ist es wünschenswerth, daß der General Bonaparte ohne Zögern die Wahl derjenigen Personen treffe, die ihn begleiten sollen."*)

Napoleon stand noch immer aufrecht, unbewegt da, als die Vorlesung beendet war, sein Angesicht war

*) Las Cases: Mémorial. S. 8.

ruhig, kalt und undurchdringlich wie immer, aber seine Augen schossen Blitze des Zorns, wie sie in den Tagen seiner Größe seine Augen geschleudert hatten. Damals hatten diese Blitze diejenigen zerschmettert, welche sie trafen, — heute prallten sie machtlos ab an dem ruhigen, gleichgültigen Gesicht des englischen Admirals.

Ich protestire gegen dies ehrlose, und unritterliche Verfahren, rief Napoleon mit donnernder Stimme. Ich protestire gegen die Gewalt, welche man mir anthun will. Ich bin der Gast Englands, nicht sein Gefangener; ich bin freiwillig gekommen, mich unter den Schutz seiner Gesetze zu stellen. Man entweiht in meiner Person die heiligen Gesetze der Gastfreundschaft. Niemals werde ich mich freiwillig der Schmach fügen, welche man mir anthut. Die Gewalt allein kann mich dazu zwingen.

Admiral Keith erwiederte nichts. Er verneigte sich kalt und stumm, und verließ mit seinem Begleiter die Cajüte.

Napoleon war allein! Allein mit seinem Zorn, seinem Schmerz, allein mit seiner Verzweiflung. Er rang mit ihr viele Stunden lang, seine Diener hörten ihn mit hastigen Schritten auf- und abgehen, und laut und stürmisch mit sich selber sprechen. Aber nach und nach ward er stiller, und als er nach langen, qualvollen Stunden wieder aus seiner Cajüte hervor, und in den Kreis seiner Diener trat, war sein Gesicht wieder ruhig und unbeweglich, nur seine Lippen zuckten zuweilen, und um seine Augen lag ein tiefer bläulicher Schatten.

Napoleon hatte sein Geschick angenommen und keine Klage kam mehr über seine Lippen. Er wählte unter seinem Gefolge sich Diejenigen, welche ihn begleiten sollten, und die Generale Bertrand, Gourgaud und Montholon weinten Thränen stolzer Freude, als die Wahl des Kaisers sie traf, und der Graf Las Cases war glücklich, als man auch ihm und seinem Sohn noch gestattete, Napoleon begleiten zu dürfen.

Mit Thränen nahm sein übriges Gefolge von ihm Abschied; Napoleon allein weinte nicht. Ruhig, stolz und gelassen verließ er den Bellerophon, der zu klein und schwach befunden, um die Reise nach Helena machen zu können, und begab sich an Bord des Schiffes Northumberland, das ihn nach seinem Exil führen sollte.

Am achten August lichtete der Nothumberland die Anker, und segelte ab, seinem fernen Ziel entgegen.

Napoleon stand auf dem Verdeck, und blickte sinnend hinunter in das Meer, das kräuselnd das Schiff umrauschte. Neben ihm stand der Graf Las Cases, die Thränen zurückdrängend, welche der Abschied von seiner geliebten Gattin in seinen Augen zurückgelassen.

Es ist also unwiderruflich, sagte der Kaiser, meine Vergangenheit ist hinabgesunken in das Meer und da ruht sie wie die Perlen und Korallen. Aber kein Taucher wird sie wieder hervorholen können, sie ist verloren und begraben für immer. Sie bleibt hier zurück im Meer, das Frankreichs Küsten bespült, und ich gehe als ein neuer Mensch, als ein dem Schmerz Wiedergeborner, einer neuen Welt entgegen! Ich gehe nach Helena. — Aber ist es denn so gewiß, daß ich dahin gehe? rief er auf einmal laut. Ist denn ein Mensch abhängig von seines Gleichen, wenn er aufhören will, es zu sein?

Er neigte sich tiefer über das Meer und schaute lange schweigend hinunter in seine schäumenden Wasser.

Mein Lieber, sagte er dann mit leiser eindringlicher Stimme, ich habe zuweilen Lust Euch zu verlassen und das würde gar nicht schwer sein. Ich darf nur meiner Gemüthsstimmung etwas Gewalt über meinen Kopf lassen, und ich werde Euch bald entschlüpft, und Alles wird beendet sein, und Ihr werdet Alle ruhig zu Euren Familien zurückkehren können. Meine innere Ueberzeugung legt mir keinen Zwang auf; ich gehöre zu Denen, welche glauben, daß die Strafen der andern Welt nur als ein Anhang zu den ungenügenden Reizen erfunden sind, welche man uns sonst davon verspricht. Gott kann niemals ein solches Gegengewicht seiner unendlichen Güte gewollt haben, vorzüglich wenn es sich um Fälle wie dieser ist, handelt. Und was ist es denn auch im Grunde? Nur der Wunsch, recht schnell zu ihm zurückzukehren. *)

Aber Ew. Majestät werden diesem Wunsch nicht nachgeben, sagte Las Cases. Ew. Majestät werden das Wort der Dichter und Philosophen bestätigen, welche sagen, daß der mit seinem Schicksal ringende Mensch ein den Göttern wohlgefälliger Anblick ist. Das Unglück und die Niederlagen haben auch ihren Ruhm, und ein so erhabener, großer Character, wie Ew. Majestät, darf nicht gewöhnlich enden; der Mann, dem ganz Europa zu Füßen gelegen, der zwanzig Jahr seine Armee zu glänzenden Siegen geführt hat, dem die Besten seiner Zeit gehorcht und sich ihm gebeugt haben, der darf nicht enden, wie ein Spieler, der Alles verloren hat, oder wie ein verzweifelnder Liebhaber.

*) Napoleons eigene Worte. Siehe: Las Cases: Mémorial. S. 10.

Was sollte denn aus Denen werden, welche an Sie glauben, auf Sie hoffen? Und wollen Sie denn, Sire, Denen, welche nichts lieber wünschten, als auf immer von Ihnen befreit zu sein, wollen Sie denn Denen sich so zuvorkommend gefällig zeigen, ihren Wunsch zu erfüllen? Reizt Sie der Gedanke an Ihre Feinde nicht auf zum Widerstand? Sire, der Kampf ist noch nicht zu Ende, Sie ganz allein, ohne Armee, ohne Kanonen, Sie führen ihn durch ihr bloßes Dasein weiter gegen alle Ihre Feinde, und ganz Europa zittert vor Ihnen. Und dann, wer kann ermessen, was im Schooß der Zeiten begraben liegt? Wie Vieles kann sich nicht ändern durch den Tod eines Fürsten, den Wechsel eines Ministeriums, durch Leidenschaften, Zwistigkeiten oder Freundschaften. Sire, wer lebt, hat ein Anrecht auf die Zukunft, und er darf es nicht leichtsinnig von sich schleudern.

Sie haben in manchem Betracht wohl Recht, sagte Napoleon seufzend. Aber meine Seele schaudert bei dem Gedanken an die einsame unwirthbare Insel im Weltmeer. Was werden wir nur dort beginnen, Graf?

Sire, wir werden von der Vergangenheit leben, und sie ist reich genug, um uns befriedigen zu können. Freuen wir uns nicht an dem Leben Cäsars, Alexanders? Sie werden das Buch Ihrer Vergangenheit aufschlagen, Sie werden sich selbst lesen!

Ja, ich will meine Memoiren schreiben, rief Napoleon lebhaft, man muß arbeiten! Arbeit ist die Sense der Zeit. Man muß seine Bestimmung erfüllen, das ist immer meine große Lehre gewesen. Nun wohl, so will ich auch die meine erfüllen, und will leben, so lange das Schicksal es verlangt. Sehen Sie, dort in dem blauen Nebel verschwinden die Küsten von Frankreich! In diesen blauen Nebeln verschwindet auch meine Vergangenheit. Meine Zukunft heißt: „St. Helena! Gefangenschaft!" Sei es darum. Lebe wohl, Frankreich, Land der Tapfern! Lebe wohl, Europa!

Schluß der vierten und letzten Abtheilung.

Druck von C. Guthschmidt & Comp. in Berlin, Lindenstr. 81.

Inhalt des vierten Bandes.

FSC
www.fsc.org

Druck:
Customized Business Services GmbH
im Auftrag der KNV-Gruppe
Ferdinand-Jühlke-Str. 7
99095 Erfurt